김수영 신화의 이면

주체의 자기 형성과 윤리의 미학화

강웅식 _ 姜雄植

강원도 강릉 출생. 경희대학교 국문과 및 고려대학교 대학원 국문과 졸업(문학박사). 1993년 『세계일보』 신춘문예에 문학평론이 당선되어 등단. 저서로 『시, 위대한 거절』 『텍스트에서 경험으로』 『텍스트의 이해와 욕망의 교육학』 등이 있고, 「김수영의 시의식 연구」 「조지훈의 생명시론과 그 초월론적 성격」 등 다수의 논문이 있다. 현재 고려대에 출강.

청동거울 문화점검 53

김수영 신화의 이면 _ 주체의 자기 형성과 윤리의 미학화

2012년 5월 13일 1판 1쇄 인쇄 / 2012년 5월 21일 1판 1쇄 발행

지은이 강웅식 / 펴낸이 임은주
펴낸곳 도서출판 청동거울 / 출판등록 1998년 5월 14일 제406-2011-000051호
주소 (413-756) 경기도 파주시 문발동 파주출판도시 534-4번지 301호
전화 031) 955-1816~7 / 팩스 031) 955-1819
전자우편 cheong1998@hanmail.net / 홈페이지 www.cheongstory.com

책값은 뒤표지에 있습니다.
잘못된 책은 바꾸어 드립니다.
지은이와의 협의에 의해 인지를 붙이지 않습니다.

ISBN 978-89-5749-140-9 (93810)

이 도서의 국립중앙도서관 출판시도서목록(CIP)은 e-CIP 홈페이지
(http://www.nl.go.kr/ecip)에서 이용하실 수 있습니다. (CIP제어번호: 2012002244)

청동거울 문화점검 53

김수영 신화의 이면

주체의 자기 형성과 윤리의 미학화

강웅식 지음

청동거울

머리말

우리가 성숙한 인간으로 성장하는 시기에는 누구에게나 '정신의 스승'이 필요하다. 그런 스승은 우리가 흔히 말하는 '선생님'과는 다른 존재이다. 우리는 성장 과정에서 언제나 선생님이 필요하고 또 선생님들로부터 많은 도움을 받는다. 그러나 우리가 만난 선생님들이 곧바로 정신의 스승이 되는 것은 아니다. 우리가 정신적으로 성숙한 인간이 되는 시기에, 스승이란 우리에게 새로운 근원성을 일깨워주고, 우리의 설익은 생각과 산만한 열정을 새로운 사고와 창조의 방법으로 연결시키는 길을 열어주는 존재이다. 내게는 그런 스승 가운데 한 사람이 김수영이었다. 김수영의 시와 산문들은 내게 예술과 진실에는 단 하나만의 가치밖에 존재하지 않는다는 것을 일깨워 주었다. 김수영에 대한 평가는 사람들마다 서로 다르겠지만, 나는 김수영의 시와 산문에서 처음으로 사고와 자유의 동일성을 배웠다. 자유와 사랑과 죽음과 새로움이라는 낱말이 어떤 생명력으로 꿈틀대며 정신의 운동 안에서 새로운 창조를 향해, 이제까지 단 한 번도 호명된 적이 없는 어떤 미지의 시간과 공간을 향해 힘차게 도약하고자 하는 아름다운 장면을 나는 나의 스무 살 시절에 김수영의 문장 속에서 발견하였다.

나름으로 성장하면서 역동적이고 창조적인 여러 사고들을 함께 사랑하게 되었지만, 한 때 김수영은 사고와 자유의 동일성에 대한 신념을 밀어처럼 속삭여주던 내 정신의 연인이다. 연구자로서 김수영과 그의 문학을 비판적 거리 두기에 입각해서 보려고 노력하면서도 나는 그에 대하여 전반적으로 다음과 같은 인상을 가지고 있다: 나라 잃은 시대에 일본어로 교육을 받으면서 자신이 노예 신분이라는 사실조차 자각하지 못하고 살아가던 한 영혼이 광복을 계기로 모국어로 시를 쓰면서 자율적 주체로서 자기를 형성해나갔던 역동적 과정의 드라마가 김수영의 생애와 문학이었고, 그것은 스스로도 역동적이고 창조적인 서양의 한 현대 철학자가 현대인의 윤리적 삶의 동력으로 제시한 개념인 '카오-디세이'(chao-dyssey), 즉 혼돈에 가득 찬 모험과 같은 것이었다.

나는 1983년에 석사학위논문을 썼고, 1997년에 박사학위논문을 썼다. 석사학위논문은 김수영의 시 「풀」만을 대상으로 한 것이었고, 박사학위논문은 '긴장의 시론과 힘의 시학을 중심으로'라는 부제가 붙은 「김수영의 시의식 연구」였다. 박사학위논문은 여러 가지로 부족함이 많은 논문이라 가까스로 심사에 통과된 후에도 나는 그 논문에 대한 부끄러운 마음을 지울 수가 없었다. 박사학위논문은 내가 김수영 문학의 핵심이라고 생각하는 '현대성'(부정성)의 문제에 주목하고자 한 것이었는데, 그 문제에 대한 해명이 적절한 논증방식을 통해 분명하게 제시되지 못하였다는 자괴감에서 오래도록 벗어날 수가 없어서 괴로웠다. 밝히고 싶은 것을 제대로 밝히지 못하였다는 자책감이 나로 하여금 여전히 '김수영'이라는 연구 주제를 떠나지 못하게 하고 그 주위에서 방황하게 만들었던 것이다. 그 방황 속에서 나는 김수영 문학에 관한 나의 문제의식이 틀리지는 않았다는 점을 확인하였고, 새로운 문제도 발견하게 되었다.

내게 김수영은 우리 문학사에서 현대성(modernity)의 본질을 가장 정확하게 이해한 시인이다. 그는 현대성의 본질이 '부정성'에 있다는 것을, 인간의 자유와 사랑을 억압하는 모든 형태의 지배 이데올로기에 대한 저항에 있다는 것을, 따라서 현대의 모든 예술은 현대의 윤리적 밀도에 대해 고민해야만 한다는 것을 알았고 그 앎의 내용을 부단한 실천의 행동으로 옮기려고 노력하였다. 이 책에 실린 논문들의 일부는 현대성의 본질에 대한 김수영의 이해의 차원을 밝히고 비판적으로 검증하려는 의도에서 씌어진 것들이다.

김수영 문학의 현대성과 부정성에 대한 논의는 이 책에 실린 논문들이 아니더라도 다양한 관점으로 이루어져왔다. 그것은 김수영 문학에서 '부정'과 '비판'의 계기가 그만큼 본질적이라는 것을 확인하게 해준다. 그런데 김수영 문학의 전개 과정을 곰곰이 따져보면 1966년을 전후한 무렵부터 '부정'(비판)과 '설움'에서 벗어나 '긍정'과 '기쁨'을 매개로 한 '힘의 세계'로 나아가려 했다는 사실이 포착된다. 내가 볼 때 김수영의 마지막 작품이라 알려진 「풀」이 보여주는 것도 그와 같은 '힘의 세계'이다. 김수영의 시와 산문을 읽어 본 사람이라면 누구나 동의하는 바이지만, 그의 문학에는 독특한 '윤리적 밀도'가 있다. 남들도 다 하는 말인 '자유'와 '사랑'과 '양심'과 '새로움'이 유독 그가 쓴 글의 맥락에서 특별한 힘과 매력을 발휘하는 것도 바로 그와 같은 윤리적 밀도 때문이다. 김수영은 스스로 '순간을 다투는 윤리'라는 말로 그러한 밀도의 속성을 보여주고자 하였다. 많은 연구자들이 그의 문학에서 문학과 윤리의 차원이 상호 조응한다는 점에는 주목하고 동의하였으나, 예술과 윤리의 조응이 무엇을 촉발시켰는지에 대해서는 주의를 기울이지 않았던 것 같다. 이 책에서는 그 점에 착안하여 '윤리의 미학화' 라는 개념으로 문제를 풀어보고자 하였다.

이 책에 실린 글들은 모두 박사학위논문을 쓰고 난 다음에 새롭게 구성되고 발표된 것들이다. 「김수영 신화의 이면」과 「윤리적 주체와 자기 촉발의 힘」은 서로 다른 초점과 강조점을 향하고 있으면서도 김수영의 「풀」에 대한 해석을 토대로 하고 있다. 그러다 보니 다소 겹쳐지는 부분들이 발생하였다. 정리가 불가능한 것은 아니었으나 그렇게 하면 각각의 논문이 애초에 의도했던 초점과 강조점의 의미와 활력을 잃는다고 판단하여 그대로 두었다.

1997년 당시 나의 박사학위논문의 심사를 맡으셨던 심사위원들은 지도교수이신 최동호 선생님을 비롯하여 박이도 선생님, 오탁번 선생님, 김인환 선생님, 윤석달 선생님 등 다섯 분이셨다. 김수영의 문학에 대한 기본적인 이해와 논문의 문제제기에 대해서는 적극 공감하시고 동의해주셨지만, 객관화와 논증의 과정에 대해서는 어찌나 엄격하고 단호하게 지적들을 하시는지 지금 생각해도 등줄기가 서늘해진다.

이 책에 실린 부족한 논문들이 그나마도 박사학위논문에서 한 걸음 나아간 나름의 진경을 보여줄 수 있다면, 그리하여 한국문학 연구에 조금이나마 보탬이 될 수 있다면, 그것은 모두 다섯 분 선생님들의 가르침 덕분이리라.

2004년 늦은 봄에

강웅식

차례

김수영 신화의 이면

주체의 자기 형성과 윤리의 미학화

김수영 문학 연구사 30년, 그 흐름의 향방과 의미

— '김수영과 모더니즘'의 관계를 중심으로

김수영 문학은 시인의 생전에는 비평적 조망을 그다지 받지 못하다가 그의 사후부터 현재까지 지속적이고 집중적인 관심의 대상이 되어 왔음은 주지의 사실이다. 김수영 문학을 텍스트로 한 2차 문서들의 집합에는 시인에 대한 회상이나 그의 시와 산문에 대한 단상을 비롯하여 평론(評論)으로서 비교적 체계를 갖춘 글들에 이르기까지 약 120여 편의 길고 짧은 글들과 90여 편의 석사학위논문 그리고 10편의 박사학위논문이 포함되어 있다. 우리 근대문학의 전개에서 특히 활발한 비평적·연구적 관심의 대상이 되어온 김소월·한용운·이상·서정주 등과 관련한 2차 문서들의 경우와 비교해볼 때, 그것은 특별히 많다고 할 수 없는 수치이다. 그러나 2차 문서들이 축적된 기간이 30년에 불과하다는 점을 고려한다면, 그 수치는 결코 만만히 볼 수 있는 것은 아니다. 더욱이 김수영 문학과 관련한 2차 문서들은 70년대와 80년대를 지나면서 이른바 '김수영 신화'라고 불리는 하나의 문단적 현상을 형성했다는 점에서 독특한 측면을 보여준다.

'김수영 신화'라는 문단적 현상은 70년대와 80년대의 특수한 정치적·시대적 상황과 밀접한 관련이 있다. 흔히 김수영의 시적 주제로 거론되는 '자유'·'정직'·'양심'·'사랑' 등은 바로 70년대와 80년대의 시대적 화두였다. 정통성을 결여한 권력이 정권을 잡음으로써 파생된 정치적 억압과 부자유, 급속한 산업화에 따른 전통적인 가치관의 붕괴와 문화적 혼란, 그리고 그와 같은 시대적 상황 속에서 능동적 기능을 담당하지 못하고 훼절과 침묵으로 일관한 대다수 지식인들의 부정적인 행태 등으로 기억되는 우리의 7, 80년대. 그처럼 어둡고 어려운 시대일수록 가장 평범하고 일반적인 덕목이 소중해지고 또 지켜지기가 쉽지 않다. 격정성과 속도감을 실은 문장들에 흩뿌려져 있는, 자유와 양심과 정직과 사랑에 대한 선언적인 주장과 외침은 김수영 문학의 미학적 품격과 의미에 대한 검토에 앞서 우선 심정적으로 그것에 이끌리게 하는 강력한 흡인력으로 작용했다는 것은 '김수영 신화'를 돌이켜 보는 필자만의 소회는 아닐 것이다.

김수영의 사후 30년 동안 김수영 문학에 대한 2차 문서들이 이루어 온 작은 역사는 그와 같은 심정적 이끌림으로부터 비롯하여 점차 반성적 거리를 확보해 가는 일련의 과정이라고 볼 수 있을 것이다. 그 과정의 초기에는 시와 산문을 통해 주장한 김수영의 메시지들이 자주 인용되고 중요한 의미로 평가되었지만, 차츰 그것들은 한 시인의 시 세계를 이해하고 분석·조명하는 문학적 실체로서 다루어지게 되었다 ; 최근에는, 김수영에게 부여되었던 비평적 수사, 예컨대 모더니스트

라든가 참여론자 혹은 난해시인이라는 어사로부터 벗어나, 그가 진정으로 추구한 시적 주제는 무엇인가, 그것은 그의 시에서 어떻게 표현되고 있으며 그 시적 방법론은 무엇인가 하는 접근 태도의 변화가 나타나고 있다.[1]

김수영 문학을 텍스트로 한 논의는 대략 다음과 같은 네 가지 방향에서 이루어져 왔다. 첫째, 김수영 시와 산문에서 주도적으로 드러나는 주제어의 분석을 통하여 그의 시세계와 시의식을 이해하려는 논의,[2] 둘째, 김수영 시의 형식과 구조에 관심을 갖고 그의 시를 체계적으로 분석함으로써 김수영 시의 특질을 밝히려고 시도한 것,[3] 셋째, 김수영 시와 산문 전체를 포괄적으로 조명하면서 김수영 시의 문학사적 의의와 시사적 위치, 그리고 영향관계를 고찰한 논의,[4] 넷째, 김수영 산문에 산재한 시에 대한 사유의 흔적들을 포착하여 김수영의 시론을 재구성해보고자 한 논의이다.[5] 개괄적인 수준에서나마 김수영 문학에 관한 논의들의 전모를 살펴보려면, 앞에서 제시한 네 가지 주

1) 김병익, 「진화, 혹은 시의 다의성」, 『세계의 문학』 1983년 가을호, p.329.
2) 김인환, 「시인의식의 성숙과정 : 김수영의 경우」, 『월간문학』 1972년 5월호.
김종철, 「시적 진리와 시적 성취」, 『문학사상』 1973년 9월호.
김 현, 「자유와 꿈」, 김수영 시선집 『거대한 뿌리』 해설, 민음사, 1974.
황동규, 「정직의 공간」, 김수영 시선집 『달의 행로를 밟을지라도』 해설, 민음사, 1976.
염무웅, 「김수영론」, 『창작과 비평』 1976년 겨울호.
김우창, 「예술가의 양심과 자유」, 『궁핍한 시대의 시인』, 민음사, 1978.
유종호, 「시의 자유와 관습의 굴레」, 『세계의 문학』 1982년 봄호.
최유찬, 「시의 자유와 '죽음'」, 『연세어문학』 제18집, 1985. 12.
김기중, 「윤리적 삶의 밀도와 시의 밀도」, 『세계의 문학』 1992년 겨울호.
3) 서우석, 「김수영 : 리듬의 희열」, 『문학과 지성』 1978년 봄호.
김 현, 「김수영의 풀 : 웃음의 체험」, 김용직·박용철 편, 『한국현대시 작품론』, 문장사, 1981.
강희근, 「김수영 시 연구」, 『우리 시문학 연구』, 예지각, 1983.
이영섭, 「김수영의 '신귀거래' 연구」, 『연세어문학』 제18집, 1985. 12.
이경희, 「김수영 시의 언어학적 구조와 의미」, 『이화어문론집』, 1986.
김혜순, 「김수영 시 연구 : 담론의 특성 연구」, 건국대박사논문, 1993.

된 방향들을 개별적으로 꼼꼼히 검토해 보아야만 할 것이다. 그러나 이 글에서는 그들 네 방향의 논의들을 비교적 충분히 포괄할 수 있는 주제라고 판단되는 '김수영과 모더니즘'을 중심으로 하여 김수영 문학과 관련한 2차 문서들을 살펴보고자 한다.

김수영과 모더니즘의 관계를 설정한 최초의 것은 유종호의 글이다.[6] 이 글은 '현실참여의 시'라는 제목 아래 전봉건, 신동문과 함께 세 시인을 다룬 것인데, 이후 김수영 문학을 텍스트로 한 2차 문서들이 담당할 거의 모든 주제 항목들이 제시되어 있다는 점에서도 중요하다. 다양성, 페이소스, 자조적 분노, 반속(反俗)정신, 그리고 '무방법의 방법' 등 유종호가 제시한 항목들은 다른 문서들에서 핵심적 논의의 초점을 이루면서 발전, 수용된다. 이 글에서 유종호는 "기림 류의 해방전 모더니즘에다가 강렬한 현실감각과 사회의식을 플러스했다는 점으로 해방 후 특히 전후(戰後)의 모더니즘을 특징지을 수 있다"고 하여, 전후 모더니즘의 특징으로 '강렬한 현실감각과 사회의

---

4) 김현승, 「김수영의 시사적 위치와 업적」, 『창작과비평』 1968년 가을호.
백낙청, 「역사적 인간과 시적 인간」, 『창작과비평』 1977년 여름호.
유재천, 「김수영의 시 연구」, 연세대박사논문, 1986.
김종윤, 「김수영 시 연구」, 연세대박사논문, 1987.
이건제, 「김수영 시의 변모양상 연구 : 자아와 세계의 관계를 중심으로」, 고려대석사논문, 1990.
이종대, 「김수영 시의 모더니즘 연구」, 동국대박사논문, 1993.
강연호, 「김수영 시 연구」, 고려대박사논문, 1995.
5) 송재영, 「시인의 시론」, 『문학과 지성』 1976년 봄호.
이상옥, 「자유를 위한 영원한 여정」, 『세계의 문학』 1982년 겨울호.
김윤식, 「김수영 변증법의 표정」, 『세계의 문학』 1982년 겨울호.
이승훈, 「김수영의 시론」, 『한국현대시론사』, 고려원, 1993.
정남영, 「김수영의 시와 시론」, 『창작과비평』 1993년 가을호.
6) 유종호, 「현실참여의 시, 수영 · 봉건 · 동문의 시」, 『세대』 1963년 1~2월호.

식'을 꼽고 있다. 유종호가 전후 모더니즘의 특징이자 김수영 문학의 특징으로 지적한 '강렬한 현실감각과 사회의식'은 두 가지 서로 다른 시각에 의해 집중적으로 조명된다. 그 두 가지 시각들 가운데 하나는 한국 모더니즘 시의 전개선상에서 김수영 문학의 성격과 위치를 가늠해보려는 시각이고, 다른 하나는 문학의 사회적 기능을 특별히 강조하는 입장에 선 평론가들의 시각이다. 전자에 속하는 글들 가운데 대표적이 것이 김현의 글과 이종대·강연호의 박사학위논문이고,[7] 후자의 경우는 백낙청·염무웅·정남영의 글이다.[8]

김현의 글은, 김수영 시의 변모양상에 따른 시기구분을 최초로 시도했다는 것, 김수영의 시적 주제로서 '자유'를 부각시켰다는 것, 김수영의 시론을 박용철의 '생명시론'과 연결시켰다는 것 등에서도 주목되지만, 그보다 김수영의 모더니즘을 주제로 한 박사학위논문의 접근 근거를 제시했다는 점에서도 그 의의가 평가된다. 김현은 유종호의 논지를 이어받아 다음과 같이 부연, 확대한다.

> 그의 시의 파격성은 김기림이 그 기치를 높이 든 모더니즘의 한 특성이다. 모더니즘은 시란 운문으로 시적이라 알려진 대상을 묘파해야 한다는 낡은 시론에 대한 반발을 표시한다. '동양적 적멸', '무절제한 감상의 배설', 다시 말해 '봉건적 뭇 요소'와 '감상주의'에서의 탈피는 김기림적 모더

---

7) 김　현, 「자유와 꿈」, 『김수영의 문학』, 황동규 편, 민음사, 1983.
이종대, 「김수영 시의 모더니즘 연구」, 동국대박사논문, 1993.
강연호, 「김수영 시 연구」, 고려대박사논문, 1995.

8) 염무웅, 「김수영론」, 『창작과비평』 1976년 겨울호.
백낙청, 「역사적 인간과 시적 인간」, 『창작과비평』 1977년 여름호.
정남영, 「김수영의 시와 시론」, 『창작과비평』 1993년 겨울호.

> 니즘의 중요한 측면이다. 그래서 비시적인 요소와 현대문명이 과감하게 도입된다. 김수영은 거기에서 한 걸음 더 나아가, 비시적 요소와 현대문명을 도입하기 위해서 도입하는 태도까지를 비판한다. (…) 그는 모더니즘을 하나의 문학적 조류로 이해한 것이 아니라, 세계를 이해하고 관찰하는 한 정신의 태도로 받아들인다.[9]

위의 인용문 가운데 "그는 모더니즘을 하나의 문학적 조류로 이해한 것이 아니라, 세계를 이해하고 관찰하는 한 정신의 태도로 받아들인다"는 구절은, 바로 이종대와 강연호의 논문의 근본 모티프를 이룬다. 그들은 김수영의 작품에 구체적으로 접근하는 방식은 서로 달리하지만, 모더니즘 그 자체의 본질 규정을 근거로 하여 김수영 문학의 가치지향을 규명하려 했다는 점에서는 유사하다. 그들은 서구 모더니즘의 이념을 해명한 외국의 논저들을 통해 모더니즘의 본질적인 정신을 추적하여 김수영 문학과의 관련성을 검토한 다음, 그것이 김수영의 실제 작품에서 어떤 양상으로 드러났는가 하는 점을 밝히고 있다. 이들 두 연구자의 논문에 선행하는 것으로서, 김수영과 모더니즘의 관계를 집중적으로 조명한 글들 가운데 주목할 만한 것이 있다. 그것은 김상환이 쓴 일련의 글들이다.[10] 문학전공자가 아니라 철학전공자인 김상환은, 서구의 모더니즘과 포스트모더니즘과 관련한 폭넓은 철

9) 김현, 앞의 책, p. 106.

10) 김상환, 「스으라의 점묘화 : 김수영 시에서 데카르트의 백색 존재론」, 『철학연구』 1992년 봄호.
______, 「김수영과 책의 죽음 : 모더니즘의 책과 저자 2」, 『세계의 문학』 1993년 겨울호.
______, 「모더니즘 또는 사유의 금욕주의」, 『현대시학』 1993년 11월호~1994년 3월호.
______, 「우리시와 모더니즘의 변용 : 김수영의 경우」, 『현대시사상』 1995년 여름호.

학적 이해를 바탕으로 김수영의 시를 면밀하게 검토한다. 김상환의 미덕은, 글에서 모더니즘과 관련한 철학적 전거를 많이 인용함에도 불구하고, 그것들을 작품 자체에 대한 세밀한 분석과정과 겹쳐 놓음으로써 자신의 주장에 설득력을 부여한다는 데 있다. 그가 인용하고 분석한 김수영의 작품들이 과연 미학적으로 뛰어난 것들인가 하는 점은 이론의 여지가 있지만, 김수영의 시와 산문을 관류하는 모더니즘 정신의 역동성을 논리 정연하면서도 탄력적인 문장으로 구축한 그의 글들은 충분히 참고할 만한 것이다.

이상에서 검토한 글들이 모더니즘에 대한 긍정적인 입장에 선 것들이라면, 백낙청·염무웅·정남영의 글들은 부정적인 입장에 선 것들이다. 그들이 모더니즘을 부정적으로 보는 이유는 그것의 예술관과 역사관·사물관이 지나치게 폐쇄적이라는 데 있다. 또한 그들이 모더니즘을 폐쇄적이라고 보는 이유는 그것이 우리 역사의 현장에 풍부히 주어진 민족과 민중의 잠재역량을 너무나 등한히 한다는 것과, 언제나 당대의 구체적 현실로부터 유리되어 있으며 대다수 독자들로서는 이해하기도 어렵고 공감할 수 없는 작품을 낳게 한다는 데 있다. 그들이 볼 때, 김수영은 한국 모더니즘의 위대한 비판자였으나 그 모더니즘을 청산하고 민중시학을 수립하는 데까지 나아가지는 못한 시인이다. 예술작품과 예술가를 평가하는 차원에서 그들이 본질적인 심급(審級)으로 두는 것은 '민중시학의 수립'이다. 따라서 그들은 '강렬한 현실감각과 사회의식'을 결여한 시인들에 대한 김수영의 비판과 질타에는 찬사를 보내면서도, 그가 끝끝내 모더니즘과의 연계를 끊어버리지 못하고 독자로 하여금 결코 편안한 접근을 허용하지 않는 난해시를 지속적으로 생산한다는 점에 대해서는 비판한다. 그들이 보기에 김수영은 "힘없고 모자란 대로나마 서로 뒤섞여 돕고 이끌며 역사를 만들어 가는 군중성의 체험, 민중적 실천의 체험"을 하지 못하였던 것이다. 여기서 주목할 것은 그들이 80년대 이후로는 김수영 문학에 관심을 거의 기울이지 않았다는 점이다. 아마도 이는 이른바 민중론자로 불리는 그들의 문학관과 더욱 친화성을 보이는 김남주·박노해·백무산 등의 시인들이 등장했기 때문일 것이다.

문학과 예술의 관계와 관련지어 설정할 수 있는 이항대립, 즉 '순수'와 '참여'의 문맥에서 볼 때, 김수영 문학은 이중적 양상을 보인다. 이러한 이중성 혹은 양면성은 김수영 문학의 다의성으로 확대되기도 하는데, 이 점에 대해 최초로 언급한 것이 김현승의 글이다. 김현승은 "그가 발표하는 어떤 시는 예술파에 속하는 양 보이고, 다른 어떤 시는 참여파에 속하는 것처럼 보이고, 그러면서 그의 시론은 분명히 참여파를 옹호하고 있다"고 하면서[11] "우리가 김수영에게 요구하고 싶었던 것은, 사상성과 예술성을 작품에 따라 또는 경우에 따라 각각 분리시키지 말고, 다시 말하여 속된 말로 양다리를 걸치지 말고 필요한 두 가지 요소를 한 작품 속에 조화집결시키라는 것이었다"고 말한다.[12] 김수영 스스로도 "나의 시론이나 시평이 전부가 모험이라는 의미는 아니지만, 나는 그것들을 통해서 상당한 부분에서 모험의 의미를 연습해 보았다. 이러한 탐구의 결과로, 나는 시단의 일부의 사람들로부터 참여시의 옹호자라는 달갑지 않은, 분에 넘치는 호칭을 받고

11) 『전집』 별권, p.36.
12) 앞의 책, 같은 부분.

있다"라고 말하고, 또 "이런 기적이 한 편의 시를 이루고, 그러한 시의 축적이 진정한 민족의 역사의 기점이 된다. 나는 그런 의미에서는 참여시의 효용성을 신용하는 사람의 한 사람이다"라고 주장한다는 점에서 그의 문학에서는 현실참여적 성격이 강하게 드러난다.[13] 하지만 김수영은 이른바 '참여파'의 논리로써 '예술파'의 시를 재단하지 않았으며, 사회적 현실에 대한 직접적 관심과 무관한 존재론적 깊이의 시들에 대해서도 매우 긍정적으로 평가했다는 점에서 그의 문학을 단순히 현실참여적인 경향의 것으로 보기도 어렵다. 바꾸어 말하면, 그는 '참여파'의 논리로써 '예술파'의 시를 재단하지 않았고 '예술파'의 논리로써 '참여파'의 시를 배제하지 않았으며, '참여파'나 '예술파' 그 어떤 경향의 시든 그가 진정으로 중요하게 여긴 것은 "시다운 시" 혹은 "작품다운 작품"이었다고 볼 수 있는데, 바로 이점이 앞에서 말한 김수영 문학의 이중성과 관련된다. 김수영 문학의 그와 같은 이중성은 앞으로 면밀하게 검토되어야 할 사항이다. 왜냐하면 김수영은 시에 대한 자기 생각을 언급하는 과정에서 일단의 대립항을 설정해 놓고 그것들이 맺는 부단한 긴장관계를 강조하기 때문이다. '사상'과 '형태', '침묵'과 '요설', '언어의 서술'과 '언어의 작용', '기술자적 발언'과 '지사적 발언', '검증'과 '생성', '시를 쓰는 것'과 '시를 논하는 것', '예술성'과 '현실성', '내용'과 '형식' 등은 김수영이 설정한 주요 대립항들이다. 김수영은 이 대립항의 긴장관계에서 집어지는 역동성을 시적 에너지의 원천으로 생각하였으며,[14] 그와 같은 '역동성', 즉

13) 『전집』 2, p.250, 252.

'힘'을 시에서 가장 중요한 요소로 보았다. 이처럼 김수영이 설정한 대립항들의 충돌에서 빚어지는 역동성의 실체와 근거에 대한 규명은 앞으로의 중요한 논제가 될 것이다.

앞에서 언급되었듯이, 김수영에 대한 이른바 민중론자들의 관점은, 김수영이 모더니즘의 적극적 비판자이긴 하였지만 그것을 넘어서서 진정한 민중시학의 수립에는 다다르지 못했다는 것이었다. 이러한 관점과는 달리, 김수영의 시와 시론이 우리 시의 참여시의 후진성을 극복하고자 한 것이고 그런 극복의 모습을 몸소 실천으로 보여주었다는 점에서 시사적 의의가 있다고 주장하는 관점이 있다. 이는 김윤식·이승훈의 관점인데,[15] 이들의 글들은 영향사(影響史)의 맥락에서 김수영과 후기 하이데거와의 관계를 설정하고 천착했다는 점에서도 의의가 있다.

김윤식은, 김수영 문학과 관련한 초기의 글[16]들에서, 김수영이 시의 본질적 존재성 혹은 존재 이유를 형식과 내용, 대지와 세계, 예술성과 현실성의 긴장 위에서 올바로 파악한 후에 세계 쪽을 먼저 내세운 것

---

14) 기존의 논의 가운데 그와 같은 대립항의 문제에 주목한 것으로는 이건제의 논문이 있다. 그는 자신의 논문에서 "김수영의 인식론이 전개되어 나가는 도정에는 많은 이항대립적 범주들이 존재한다"고 주장하면서, 김수영의 "자아—세계 관계의 인식론적 전개과정"을 고찰하는 가운데 그런 대립항들의 의미가 밝혀질 수 있을 것이라고 주장한다. 그러나 본고에서는 그런 대립항들 자체를 면밀히 고찰하는 것이 김수영의 시에 대한 인식을 규명하는 데 중요한 절차라고 본다.
이건제, 앞의 논문, pp.4~5. 참조.

15) 김윤식, 「김수영 변증법의 표정」, 『세계의 문학』 1982년 겨울호.
이승훈, 「김수영의 시론」, 『한국현대시론사』, 고려원, 1993.

16) 김윤식, 「시에 대한 질문방식의 발견」, 『시인』 1970년 8월호.
______, 「모더니티의 파문과 초월」, 『심상』 1974년 2월호.

은 그가 자신이 처해 있는 한국의 시대적·사회적 현실 상황을 자각한 데서 연유하는 필연의 선택이라고 보았다. 따라서 그가 시적 기교의 차원보다 시인의 의식이나 태도에 무게중심을 두는 것을 보고 섣불리 참여나 순수의 시각으로 재단해서는 안 된다고 주장한다. 그 이후 김윤식은 앞의 견해를 일부 수정하면서 이른바 '김수영 신화'의 결여부분과 그것에 대한 김수영의 자각, 그리고 그것을 극복하려는 김수영의 정신적 고투에 대해 집중적으로 논의한다. 김윤식이 보기에, 김수영은 끊임없이 '제 정신' 혹은 '양심'을 지키는 것을 창조행위와 동일시했으며, 이러한 동일시가 바로 김수영 문학에 윤리적 밀도를 부여한다 ; 이 경우 시인과 지식인의 태도 사이에는 일종의 등가관계가 성립되는데, 자신의 양심을 지키고 '제 정신'을 차림으로써 부정적인 세상에 저항하고 비판하는 지식인의 태도를 시인의 예술적 창조행위 쪽으로 부단히 근접시키려고 한 것이 김수영이다. 그러나 김수영의 그러한 노력은 그를 부패에서 이끌어냄으로써 4·19 이래 보기 드문 '눈뜬 의식의 소유자'로 평가받게 하는 근거가 되지만, 그로 인해 정작 그의 문학은 생성에로 질적 비약을 하는 초월의 단계로 나아가지 못하였다고 김윤식은 평가한다. 다시 말해, 김수영 문학에서 '자유의 이행'이 시의 완성이라는 논리의 세계는 '참다운 노래'가 나오는 '다른 입김'이라는 생성의 세계와 마주침으로써 변증법적 지양을 이룩해야 하는데, 김수영은 하이데거의 "릴케론"과의 만남을 통해 그러한 지점을 의식하기는 했지만, 그것은 자신의 문화적 배경과 성장의 환경을 떠난 독서체험에 불과했다는 것이다. 김윤식의 이러한 관점은 후속 논의에 의해 더욱 집중적으로 천착될 필요가 있는데, 그 때 논의 초점은 그가 지적한 김수영 문학의 결여항에 대한 시인의 자각이 하이데거의 "릴케론"과의 만남을 통해 비로소 촉발된 것인가, 아니면 시인 스스로도 초기부터 지속적으로 의식하고 있었는가, 그리고 시인 자신이 애초부터 자각하고 있었다면 어떤 양상으로 전개되었는가 하는 점에 주어지게 될 것이다.

이승훈은 김윤식의 주장과 평가를 대체로 수용하면서 김수영과 하이데거의 시론을 체계적이고도 포괄적으로 비교한다. 이승훈의 글은 "제 나름의 시론을 가졌던 시인"[17]으로 평가되는 김수영의 시론을 집중적으로 조명했다는 점에서, 그리고 하이데거의 시론을 비교적 상세하게 추적하면서 김수영 시론과의 영향관계를 규명했다는 점에서 일단 그 의의가 확보된다. 이 글에서 이승훈은 "김수영은 시론 「반시론」에서 밝히고 있듯이 시적 진리가 무엇인가를 하이데거의 릴케론 일어판을 거의 암기하다시피 해서 확신하게 된 것이다. 그리고 그러한 확신이 시작품을 통해 결실을 볼 수 없었다는 점에 그의 시적 한계가 놓인다"고 평가한다.[18] 김수영이 과연 '시적 진리'에 대해 이론적으로는 파악하였으나 실제 작품으로는 보여주지 못했는가 하는 점에 대해서는 앞으로도 지속적인 논의가 필요할 것이다.

여기서 지적해야 할 것은 김수영과 하이데거의 영향관계 그 자체이다. 김윤식과 이승훈 이외에도 황헌식 · 이영섭 · 이광웅 · 최유찬[19] 등

17) 이승훈, 앞의 책, p.175
18) 이승훈, 같은 책, p.201.
19) 황헌식, 「저항과 좌절 : 그 운명적 갈등」, 『시문학』 1973년 6월호.
이영섭, 「김수영 시 연구」, 연세대석사논문, 1977.
이광웅, 「시와 죽음 : 김수영 시의 출발과 그 기조」, 원광대석사논문, 1979.
최유찬, 「시와 자유와 '죽음'」, 『연세어문학』 제18집, 연세대 국어국문학과, 1985.

도 하이데거를 언급하면서 김수영 문학의 인식론적 측면을 다루었으며, 이건제도 김수영의 시작품과 시론을, 일부 하이데거와 관련되어 있는 그의 인식론적 측면과 유의하며 살펴봄으로써 자아(인식 주체)—세계(인식 객체) 관계의 변모양상으로 재구성하여 검토한 바 있다.[20)] 김수영과 하이데거의 영향관계라는 논의 항목에서 문제가 되는 것은, 하이데거의 예술론이나 인식론에 대한 김수영의 이해가 과연 얼마나 깊고 철저한 것이었는가 하는 점이다. 김수영의 하이데거 인용은 그의 후기의 글들인 「시여, 침을 뱉어라」와 「반시론」에서 발견된다. 하지만 「시여, 침을 뱉어라」의 경우, 하이데거의 「예술작품의 근원」이란 논문에 나오는 "세계와 대지의 대극적 긴장"이란 구절이 유일하게 인용되어 있으며, 「반시론」의 경우도, 하이데거의 릴케론인 「궁핍한 시대의 시인」에서 하이데거가 인용한 릴케의 시 「오르페우스에게 바치는 소네트」의 구절과 헤르더의 『인류사의 철학이념』에 나오는 구절이 재인용되어 있을 뿐이고 정작 하이데거의 문장은 보이지 않는다. 김수영의 글에서 하이데거와 관련한 인용구절이 양적으로 적다고 해서 김수영과 하이데거의 관계를 살펴볼 필요가 없다는 것은 물론 아니다. 문제는 김수영이 실제로 하이데거에 대해 얼마나 깊이 있게 이해하고 있었으며, 그가 지니고 있던 어떤 성격의 문제의식이 하이데거와 연결될 수 있었는가 하는 것이다. 김수영은 한 월평에서 "색다른 실험을 거듭하던 시인이 형태를 바꾸게 되면 우선 개의하게 되는 것은, 그가 종래의 실험단계에서 어떠한 자양분을 몸에 지니고 나왔

20) 이건제, 「김수영 시의 변모양상 연구 : 자아와 세계의 관계를 중심으로」, 고려대석사논문, 1990.

느냐 하는 것이다"[21]고 말하는데, 이는 김수영 자신에게도 적용될 수 있는 논리이다. 자신의 문학세계와 관련하여 기존의 문학적 자양분과 하이데거에게서 시사 받은 바가 연결될 수 없다면, 김수영 문학에 내재하는 하나의 긍정적 요인이 논리적 파탄을 보이는 것이 되기 때문이다.

이러한 사정과 관련하여, 김수영이 어째서 하이데거의 예술론이나 인식론에 대한 검토로 나아갔는가 하는 점에 대한 해명을 부분적으로 시도한 것이 강웅식의 논문이다.[22] 그는 김수영이 하이데거의 사유를 깊이 이해한 것으로 보지는 않지만, 김수영의 대표적 시론인 〈시여, 침을 뱉어라〉에서 자신의 논지 전개상 핵심 부분에 하이데거의 구절을 인용하고 있는 점에 주목한다. 강웅식이 보기에, 김수영이 인용하고 있는 하이데거의 구절, 즉 "세계와 대지의 대극적 긴장"에서 무엇보다 주목해야 할 것은 '대극의 긴장'이라는 부분이다. 그는, '긴장'이라는 말은 하이데거의 예술론과 만나기 이전의 김수영에게도 매우 익숙한 것이라고 주장한다. 왜냐하면 '긴장'이라는 용어는 김수영이 지대한 영향을 받은 알렌 테잇의 시론의 핵심 용어이기 때문이라는 것이다. 실제로 김수영은 1966년에 쓴 시작 노트에서 "이 시에서도, 그밖의 시에서도 나는 알렌 테이트의 시론을 충실히 지키고 있다. tension의 시론이다"라고 고백한 바 있는데,[23] 'tension'은 좋은 시들이 갖고 있는 동일한 성질에 대하여 알렌 테잇이 붙인 특수한 비유어

21) 김수영, 『김수영전집2, 산문』, 민음사, 1981, p.361.
22) 강웅식, 「김수영의 시의식 연구 : '긴장'의 시론과 '힘'의 시학을 중심으로」, 고려대박사논문, 1997.
23) 김수영, 앞의 책, p.303.

이다. 알렌 테잇이 말하는 '긴장'은 서로 방향이 다른 힘들이 마주치는 현상으로 이를 통해 시에서 진정한 힘이 발생한다는 것이다.[24] 강웅식은, 김수영이 시에 대한 자신의 의견을 개진할 때, '사상'과 '형태', '침묵'과 '요설', '언어의 서술'과 '언어의 작용', '기술자적 발언'과 '지사적 발언', '검증'과 '생성', '시를 논하는 것'과 '시를 쓴다는 것', '예술성'과 '현실성', '내용'과 '형식' 등 대립항을 그가 동원하는 것도 알렌 테잇의 시론으로부터 시사 받은 '긴장'의 의미에 대한 이해와 인식에서 기인하는 것으로 본다. 또한 그는 김수영이 하이데거의 예술론에 관심을 갖게 된 이유도 하이데거의 문맥에서 '긴장'이 알렌 테잇의 문맥보다 훨씬 더 역동적이고도 본질적으로 기술된다는 점에 있다고 보았다. 강웅식의 이와 같은 접근의 의의는, 이제까지 지나치게 확대된 측면이 없지 않은, 김수영과 하이데거의 영향관계를 김수영의 시의식의 전개과정의 맥락에서 그 연관 고리를 찾았다는 데 있을 것이다.

김수영의 시론에 대한 논의와 관련하여 한 가지 덧붙일 사항이 있다. 그것은 바로 '김수영과 박용철'이라는 논의 항목이다. 이제까지 김수영과 국내 시인과의 비교 연구는 '김수영과 김춘수'[25], '김수영과

---

24) 이상섭, 『복합성의 시학 : 뉴크리티시즘 연구』, 민음사, 1987, pp.103~104.
25) 김혜순, 「김춘수와 김수영의 시에 나타난 시간의식의 대비적 고찰」, 건국대석사논문, 1983.
김수이, 「김춘수와 김수영의 비교 연구 : 주제와 기법의 대응관계」, 경희대석사논문, 1992.
26) 김창원, 「한국현대시에 나타난 아이러니에 관한 연구 : 이상과 김수영」, 서울대석사논문, 1987.
정현선, 「모더니즘시의 문화교육적 연구 : 이상과 김수영을 중심으로」, 서울대석사논문, 1995.
최미숙, 「한국 모더니즘의 글쓰기방식에 관한 연구 : 이상과 김수영을 중심으로」, 서울대석사논문, 1997.

이상'[26], '김수영과 신동엽'[27]이라는 항목 설정에 머물러 있다. 이상(李箱)은 김수영의 문맥 속에서 거의 유일하게 부정적으로 기술되지 않은 선배 시인이라는 점에서, 신동엽은 김수영과 같은 시대에 활동한 시인으로서 그가 매우 긍정적으로 평가한 시인이라는 점에서, 그리고 김춘수 역시 그와 같은 시대에 활동한 시인으로서 특히 비판적으로 본 시인 가운데 한 사람이자 '무의미 시'에 대해 서로 상반된 관점을 지니고 있다는 점에서 이들 논의 항목은 충분한 의의가 있는 것으로 판단된다. 그런데, 박용철은 김수영의 문맥 속에서 '진정한 힘'에 도달한 작품을 남긴 시인으로 평가됨에도 불구하고, 이제까지의 연구사에서 유일하게 김현만이 아주 간략하게 두 시인의 시론의 연관성을 지적했을 뿐, 그들의 구체적인 상관관계에 대하여 체계적으로 접근한 논의는 단 한 편도 없었다는 점은 상당히 의외라고 할 수 있다. 이는 이제까지 김수영 문학이 '현실참여'와 '모더니즘'의 관련 맥락에서 주로 논의되었다는 점을 반증하는 것이기도 한데, 앞으로 김수영의 '온몸의 시론'과 박용철의 '생명시론'과의 상관관계에 대한 접근은 김수영 문학에 대한 논의의 깊이와 넓이를 위해 반드시 필요한 부분일 것이다.

'김수영과 모더니즘'이라는 논의 항목과 관련하여 한 가지 사항을

27) 오정환, 「한국현대시에 나타난 민중의식 : 60년대 김수영과 신동엽」, 동아대석사논문, 1980.
전미경, 「현실인식과 시적 형상화 : 김수영과 신동엽의 대비적 고찰」, 부산대석사논문, 1994.
정대호, 「김수영과 신동엽의 현실인식에 대한 비교 고찰」, 경북대석사논문, 1988.
조시현, 「혁명과 시, 그리고 아나키즘 : 김수영과 신동엽을 중심으로」, 『시와 반시』 1993년 가을호.
조병춘, 「김수영과 신동엽의 참여시 연구」, 『세명논총』 1996. 6.

더 추가한다면 그것은 '김수영과 초현실주의'라는 항목이다. 이 점에 대해 최초로 지적한 것은 김현승의 글이다. 김현승은 이 글에서 김수영을 '슈르(초현실주의 수법을 터득한)' 시인이라고 규정하고 있다. 실제로 김수영은 한 작품 안에서 의미론적으로 해독이 되는 구절과 그렇지 않은 구절을 교차적으로 배치하는 방법을 즐겨 쓴다는 점에서 김현승의 그와 같은 지적은 매우 적절하다고 하겠다. 김수영은 "작품의 형성과정에서 볼 때는 '의미'를 이루려는 충동과 '의미'를 이루지 않으려는 충동이 서로 강렬하게 충돌하면 충돌할수록 힘있는 작품이 나온다"고 말하는데,[28] 이러한 양극적인 요소들을 '언어의 서술'과 '언어의 작용'이라는 말로 대치하기도 한다. 김수영의 진술 가운데 '의미를 이루지 않으려는 충동'이나 '언어의 작용'이 바로 '김수영과 초현실주의'라는 논의 항목이 성립할 수 있는 근거라는 것이 필자의 생각이다. 이제까지 김수영 문학과 관련한 논의의 핵심을 이루어 온 '순수와 참여'의 맥락으로부터 벗어나 김수영 시를 하나의 객관적 텍스트로 놓고 그의 문학의 미학적 특질을 규명하기 위한 하나의 출발점으로서 '김수영과 초현실주의' 라는 논의 항목은 매우 중요한 것이라 하겠다.

김수영과 모더니즘의 상관관계와는 직접으로 관련이 없긴 하지만, 김수영 문학과 관련한 2차 문서들에서 하나의 쟁점적인 사항을 이루고 있는 것 가운데 하나가 김수영의 마지막 작품 「풀」에 관한 논의들이다. 「풀」은 김수영이 남긴 173편의 시 가운데 연구자들로부터 가장

28) 김수영, 앞의 책, p.245.

큰 관심의 대상이 되어온 작품이다. 이 작품은 외형상으로만 보아도 그의 여타 작품들과는 선명히 구분될 정도로 매우 특이하다. 많은 논자들이 이 시에 특별한 관심을 기울였던 일차적인 이유도 김수영의 다른 작품들과는 판이한 그런 외형상의 특이성에 있었을 것이다. 부단한 '새로움'의 이행이 시의 본질이라고 주장했던 그였기에, 많은 논자들은 그와 같은 형태상의 특이함이야말로 그가 시작(詩作) 전개상의 그 시점에서 시도하고자 했던 새로운 방향으로 추정했을 것이다. 이러한 사정과 관련하여 유종호는 "이 작품이 시인의 시적 발전에 있어서 지속적인 究竟이었을 것인가에 대해서는 불안정한 추측이 가능할 뿐이다"라고 하면서 "배타적인 조직을 노리는 토착어의 지향을 통해서 한국의 근대시가 자기발견과 자기정의를 성취한 것이라면 「풀」이 그의 마지막 작품이라는 것을 그의 말투를 빌어 행복한 시간의 우연이라 할 것이다"라고 말하고,[29] 이와는 달리 김현은 "그 시는 김수영이 결국 가야 할 곳이 어디였나를 분명하게 보여준 시이다"라고 말한다.[30] 김수영 시의 전개에서 이 작품이 과연 우연의 소산인가 아니면 필연의 소산인가 하는 문제는 앞으로도 지속적인 논의가 요청되는 사항일 것이다. 그리고 이 시가 민중론자들이 주장하는 것처럼 민중의 힘을 노래한 작품인가, 아니면 좀더 포괄적인 존재론적 깊이의 문제를 다룬 작품인가 하는 문제 역시 후속 논의들에 의해 보다 체계적으로 접근되어야 할 것이다.

김수영 문학과 관련한 논의 전개에서 주목되는 현상 가운데 하나는

29) 유종호, 「시의 자유와 관습의 굴레」, 『김수영의 문학』, 황동규 편, 민음사, 1983, p.257.
30) 김 현, 「김수영의 풀 : 웃음의 체험」, 『김수영의 문학』, 황동규 편, 민음사, 1983, p.206.

문예지에 실리는 일반 평론의 숫자가 현격하게 줄어들고 있음에 비해 상대적으로 학위논문의 숫자는 늘어나고 있다는 사실이다. 석사학위논문의 경우 70년대에는 5편에 불과하던 것이 80년대에는 무려 40여 편에 이르고, 90년대에는 97년 현재까지 38편이 산출되었다.[31] 특히 최근 4년간 발표된 석사학위논문의 숫자가 30편에 이르고 있다는 사실을 감안할 때, 앞으로 김수영 문학을 텍스트로 한 석사학위논문의 숫자는 더욱 증가될 전망이다. 학위논문의 연구 대상이 근래에 50년대와 60년대의 시인·작가들로 확대되고 있다는 점, 그리고 학위과정 연구자들의 경우 문학 텍스트를 심미적 향수의 대상으로 보기보다는 학구적 분석이나 해석의 대상으로 보려는 성향이 강하다는 점 등을 고려할 때, 다양한 해석의 여지를 지닌 모호한 작품들을 대다수 포함하고 있을 뿐만 아니라 여러 가지 논쟁적인 요소들을 거느리고 있는 김수영 문학은 앞으로도 학위과정 연구자들의 집중적인 관심의 대상이 될 것으로 예상된다. 이러한 예상과 관련하여 김수영 문학이 활발한 논의의 대상이 된다는 것 자체가 부정적인 것일 수는 없다. 문제는 그러한 논의가 얼마나 생산적인 것인가 하는 데 있다. 80년대에 발표된 학위논문들의 경우 몇 편을 제외하고는 그 논의의 새로움이나 다양성에서 70년대에 씌어진 단편적인 평론들의 논의 수준을 크게 넘어서지 못하였다는 것이 부정할 수 없는 사실이다. 다시 말해 이른바 '김수영 신화'라고 불리는 문단적 현상의 인력에 지나치게 이끌렸다는 인상을 지우기 어렵다는 것이다. 이러한 사정이 80년대를 거쳐 90

31) 박사학위논문의 경우는 80년대에 2편, 90년대에는 현재까지 8편이 나왔다.

년대로 넘어 오면서 상당 부분 지양되고 있긴 하나 그러한 측면이 완전히 불식되었다고 보기도 어려운 실정이다. 넓게는 우리 근대문학사의 전개와 좁게는 50년대와 60년대 우리 시문학사의 전개상의 좌표에서 김수영 문학이 차지하는 위치와 비중이 보다 객관적으로 검증되기 위해서는 보다 포괄적인 시각과 체계적인 연구방법의 모색에 대한 연구자들의 노력과 고민이 반드시 뒤따라야 할 것이다.

이상에서 필자는 김수영 문학을 텍스트로 한 2차 문서들을 '김수영과 모더니즘' 이라는 논의 항목을 중심으로 살펴보았다. 지난 30여 년 동안 축적된 2차 문서들에 대한 포괄적 검토를 위해서라면, 보다 많은 2차 문서들을 검토의 대상으로 삼는 것이 타당한 일이었겠으나, 가장 핵심적인 논의 사항들을 차별화하여 부각시키고 앞으로 이루어져야 할 논의의 과제들을 짚어 보려는 의도 때문에 많은 분량의 중요한 2차 문서들을 불가피하게 배제할 수밖에 없었다. 차후에 좀더 충분한 지면이 허락된다면, 이 글에서 배제된 중요한 논의들을 포함하여 더욱 포괄적인 연구사 정리를 시도해 보고자 한다.

김수영 문학의 연대기

— 자기 촉발의 힘에 이르는 길

1. 연극 하다가 시로 전향

김수영(金洙暎)은 1921년 11월 27일에 서울에서 태어났다. 김수영의 할아버지 김희종(金喜鍾)은 경기도 파주 문산 김포, 강원도 홍천 철원 등지 땅에서 500여 석을 거두는 지주로서 정3품 통정대부중추의관(正三品通政大夫中樞議官)을 지낸 것으로 알려져 있다. 김희종의 묘석에 씌어진 이 관직은 1895년에 생겼다가 1905년에 사라진 것으로 수구파나 퇴직관료, 보부상들에게 내린 명목상 직위였다고 한다. 따라서 그것은 조선조 지배계층으로서 정통성을 갖는 벼슬이었다기보다 조선 말기에 성행했던, 돈으로 주고 산 공명첩(空名帖)에 불과한 것이었다고 볼 수 있다. 김수영의 집안이 어떻게 해서 많은 토지를 소유하게 되었는지는 정확히 알 수 없으나 가을이면 500석 넘게 소출을

싣고 오는 우마차들이 대문 앞에 줄을 섰을 정도로 상당히 여유가 있었던 것으로 보인다. 김수영의 아버지 김태욱(金泰旭)은 김희종과는 달리 이재에 밝지 못하였음은 물론 재산관리에도 능력이 없었다. 1930년에 김희종이 70세를 일기로 세상을 뜬 후 가세가 기울자 김태욱은 집안을 일으켜 보려 하였으나 뜻대로 되지 않아 심화 끝에 병을 얻었다. 김수영의 어머니 안형순(安亨順)은 생활력이 매우 강했던 사람으로 김태욱이 자리에 누운 후로는 거의 혼자의 힘으로 집안을 이끌어 나갔다.

그가 태어날 무렵부터 가세가 기울긴 하였으나 김수영은 유년을 비교적 유복하게 보냈다. 백부 김태홍(金泰興)에게 아들이 없었기에 집안의 장손이나 다름이 없었던 김수영은 온 집안의 기대를 한 몸에 받고 자랐다. 열네 살이 되던 1934년에 추계운동회를 마치고 장질부사에 걸린 뒤에 폐렴과 뇌막염이 병발하여 1년 동안 요양한 사실 이외에 김수영의 성장기에 특별히 주목할만한 점은 눈에 띄지 않는다. 1941년에 선린상업학교를 졸업한 그는 그 해에 도쿄로 유학을 떠났다. 가족의 증언도 그렇고 김수영 자신도 「낙타 과음」이라는 글에서 언급하고 있듯이, 그의 일본행의 동기는 유학 때문만이 아니라 당시 그가 마음에 두고 있던 고인숙이라는 여인 때문이었던 것으로 보인다. 정확한 사연은 알 수 없으나 김수영은 일본에서 고인숙을 만나지 못하였고, 동경성북예비학교에 들어가 대학입학 준비를 하다가 그만두고 미즈시나 하루키 '水品春樹' 연극연구소를 찾아간 것으로 되어 있다. 그가 어째서 대학 입학 준비를 그만두었으며 또 어떤 과정을 거쳐 미즈시나 연극연구소의 문을 두드리게 되었는지는 알 길이 없다.

「마리서사」와 「연극 하다가 시로 전향」이라는 글에서 각각 "해방과 함께 만주에서 연극운동을 하다가 돌아온 나는 이미 연극에는 진절머리가 나던 때"라거나 "그때 나는 연극을 집어치우고 혼자 시를 쓰기 시작하고 있었지만 발표할 기회가 전혀 없었고"라고 고백한 데에서 볼 수 있는 것처럼, 우리는 그가 시작(詩作)에 본격적으로 몰두하기 이전에 연극운동에 깊이 빠졌었다는 사실을 확인할 수 있을 뿐이다. 선린상업학교 2년 선배로서 일본에서 기거를 같이한 이종구의 단편적인 증언만 있을 뿐 구체적인 내용이 파악되지 않는 유학시절을 청산하고 김수영이 귀국한 것은 1943년이었다. 1944년에는 가족이 가 있던 만주로 갔다가 광복을 맞이한 1945년에 서울로 다시 돌아왔다.

1945년 이후 김수영의 생애 이력은 그가 쓴 여러 산문을 통해서도 확인이 가능한데, 1946년 무렵부터 김기림, 김광균, 김병욱, 임호권, 박인환, 양병식 등의 문인들과 교우를 맺으면서 『예술부락』에 「묘정의 노래」를 게재하는 등 스스로도 밝힌 것처럼 '연극 하다가 시로 전향'하게 된다. 주위의 문인들에 비해 습작 기간은 물론이려니와 문학에 대한 고민의 기간도 짧았던 까닭에 시로 전향한 이후의 김수영은 한동안 "바보 같은 콤플렉스 때문에 시달림을" 받았던 것으로 보인다. 박인환에게 "낡았다"는 수모를 받고 괴로워하거나 김병욱에게 칭찬을 받고 감격하거나 하는 일들도 따지고 보면 그런 콤플렉스 때문이었을 것이다. 김수영은 여러 산문에서 자기의 작품이 남의 귀에 어떻게 들릴까 하고 골백번씩 운산(運算)해보는 "우둔파 시인"이라고 스스로를 묘사한 바 있는데, 그렇듯 자학적인 운산의 버릇도 연극 하다가 시로 전향한 시절에 그가 그토록 시달렸던 콤플렉스 때문인지도 모른다.

1945년에서 1949년까지 김수영은 「묘정의 노래」「공자의 생활난」「가까이 할 수 없는 서적」「아메리카 타임지」「이」「웃음」「토끼」「아버지의 사진」「아침의 유혹」 등 모두 아홉 작품을 발표하였다. 그것들은 대체로 습작기의 유산이라 부를 만한 것들인데, 문맥의 연결이 자연스럽지 않아 의미가 잘 통하지 않는 대목이 자주 눈에 띌 정도로 완성도가 크게 떨어지는 것들도 있다. 그러면서도 그것들은 나중에 김수영 나름의 개성적 문체로 구축되는 것들의 맹아를 보여준다. 이를테면 작품마다 어떤 문제가 설정이 돼 있고, 그 문제를 분석하면서 고뇌하는 '나'가 언제나 전경화되어 있다. "동무여 이제 나는 바로 보마/사물과 사물의 생리와/사물의 수량과 한도와/사물의 우매와 사물의 명석성을"이라고 노래한 「공자의 생활난」이나 "생후의 토끼가 살기 위하여서는/전쟁이나 나의 진실성 모양으로 서서 있어야 하였다/누가 서 있는 게 아니라/토끼가 서서 있어야 하였다"라고 노래한 「토끼」에서도 확인되듯이, 이 시기는 물론이고 그의 시작 활동 전체에 걸쳐서 "누가 서 있는 게 아니라 내가 서 있는" 주체의 확립과 "바로 보는" 비판적 안목의 문제가 핵심 화두로 설정된다.

2. 생활과 설움

1949년에 발표한 「아침의 유혹」과 1953년에 발표한 「달나라의 장난」 사이에는 3년 여의 시간 공백이 있다. 1950년 8월에 김수영은 박계주, 박영준, 김용호 등과 의용군에 강제로 입대, 북행하여 훈련을 받고 순천군 중서면 부근에 배치되었다가 탈출한 것으로 알려져 있다. 민간인 옷으로 갈아입고 남하하여 집이 지척인 충무로 입구까지 왔으나 경찰에 체포되어 포로 신분으로 거제도 포로수용소에 수용되었다가 1952년 12월경에 석방된 것으로 추정된다. 여기서 '추정된다'라고 말해야 하는 것은 평전의 저자인 최하림도 지적하고 있듯이 그 기간 동안 김수영의 정확한 행적을 파악하기 어렵기 때문이다. 우리는 다만 김수영이 유고로 남긴 「의용군」이라는 미완성 소설과 「조국에 돌아오신 상병포로(傷兵捕虜) 동지들에게」라는 시를 통해 짐작할 수 있을 뿐이다.

자의에 따른 것은 아니었더라도 의용군에 입대했었다는 사실은 이후 김수영의 의식과 생활에 알게 모르게 적잖은 영향을 끼쳤던 것으로 보인다. 그는 서슬 푸르렀던 '반공주의' 시대에 의용군이었다는 이력으로 인해 정치적인 박해를 받을까 노심초사했고, 그러는 자신을 자학하기도 하였다. 한편으로 '38선'이나 '판문점'은, "나는 아직도 글을 쓸 때면 무슨 38선 같은 것이 눈앞을 알찐거린다. 이 선을 넘어서야만 순결을 이행할 것 같은 강박관념"이라는 그의 고백에서도 확인되듯이, 그에게 어떤 경계의 상징과도 같은 기능을 하였다. 진정한 성장이나 새로움의 성취를 위해서라면 반드시 돌파해야 하는, 그러나 바로 그렇기 때문에 돌파하기가 결코 쉽지 않은 의식과 행동의 경계선 같은 것을 항상 환기하게 해주는 그런 것 말이다.

그 이전과 비교할 때 1950년대에 씌어진 시들에 나타난 변화 가운데 하나는 작품에 '자유' '사랑' '생활' '설움' 등의 낱말들이 등장하기 시작했다는 것이다. 김수영 시의 핵심 주제를 '사랑'으로 보기도 하고 '자유'로 보기도 하듯이, 그 두 낱말은 그의 시에서 중핵과도 같은 역할을 하는 것들이다. 그러나 작품의 문면에 등장한 빈도를 놓고 보자면 다른 그 무엇보다도 '설움'이 가장 많다 : "설움이 힘찬 미소와 더불어 寬容과 慈悲로 통하는 곳에서"(「구라중화」), "나의 방안에 설움이 충만되어 있는 것을 발견하였다"(「방안에서 익어가는 설움」), "내가 으스러지게 설움에 몸을 태우는 것은 내가 바라는 것이 있기 때문이다"(「거미」), "헬리콥터가 風船보다도 가벼웁게 上昇하는 것을 보고/놀랄 수 있는 사람은 설움을 아는 사람이지만"(「헬리콥터」), "(…)나의 生活은/쉽지가 않아서 屍體나 다름없는 것이다"(「여름뜰」), "(…)오 죽어 있는 尨大한 書冊들/너를 보는 설움은 疲弊한 故鄕의 설움일지도 모른다"(「국립도서관」), "남의 일하는 곳에 와서 덧없이 앉았으면 비로소 설워진다"(「사무실」), "바늘구녕만한 叡智를 바라면서 사는 자의 설움이여"(「예지」), "여자란 集中된 動物이다/그 이마의 힘줄같이 나에게 설움을 가르쳐 준다"(「여자」).

아마도 '설움'은 우리 민족이 겪었던 역사의 상황과 그에 따른 생활현실에서 불가피하게 파생된 정서일 것이다. 나라 잃은 시대와 6·25를 겪으면서 나름으로 혹독한 체험을 했던 김수영이기에 그의 작품에 '설움'이 자주 나타나는 것은 지극한 당연한 현상일지도 모른다. 그에게 '설움'은 우리 민족이 함께 겪었던 역사의 공동체험에 근거한 것이면서 동시에 그 체험의 유산을 극복하고자 하는 과정에서 빠지기도 하는 이중적인 정서였다. 전자가 직접적인 체험에서 비롯한 것이라면 후자는 역사의 체험을 넘어서려는 과정에서 확인하게 되는 '후진성'에 대한 자각에서 비롯하는 것이다. 김수영이 1965년에 쓴 산문에서

"나는 20대 때 우리나라의 단편집을 접하면 내용을 보기도 전에 노랗게 결은 종이와 칙칙한 활자만 보고 그리고 제목만 겨우 보고 이상한 애감에 도취된 때가 있었다. 읽기도 전에 먼저 설워졌던 것이다"라고 고백한 대목에서도 우리는 김수영의 '설움'의 정체를 확인할 수 있다. 그러나 그는 앞서 인용한 그 구절에 바로 이어서 "이에 대한 반동으로 요즘의 나는 너무 작품의 힘의 가치에만 치중하고 있는지도 모른다"고 고백하고 있는데, 이는 그가 '설움'이 '힘'의 결핍에서 비롯한다고 생각하였으며 '힘'을 획득함으로써만 '설움'을 극복할 수 있다고 믿었다는 것을 보여준다.

팽이가 돈다
팽이가 돌면서 나를 울린다
제트기 벽화 밑의 나보다도 더 뚱뚱한 주인 앞에서
나는 결코 울어야 할 사람은 아니며
영원히 나 자신을 고쳐가야 할 운명과 사명에 놓여 있는 이 밤에
나는 한사코 방심조차 하여서는 아니 될 터인데
팽이는 나를 비웃는 듯이 돌고 있다
비행기 프로펠러보다는 팽이가 기억이 멀고
강한 것보다는 약한 것이 더 많은 나의 착한 마음이기에
팽이는 지금 수천 년 전의 聖人과 같이
내 앞에서 돈다
생각하면 서러운 것인데
너도 나도 스스로 도는 힘을 위하여

공통된 그 무엇을 위하여 울어서는 아니 된다는 듯이

서서 돌고 있는 것인가

—「달나라의 장난」에서

1949년에 발표한 「토끼」의 연장선상에 놓여 있는 「달나라 장난」(1953)의 화자는 "스스로 도는 힘"에 대한 열망을 보여준다. "영원히 나 자신을 고쳐가야 할 운명과 사명에 놓여 있"음을 자각하는 화자를 우리는 윤리적 주체라 부를 수 있다. 윤리학에서는 사람이 각자 자신의 능력을 발휘하며 자기완성에 이르기 위해 노력하는 것을 자기실현이라 하고, 그것을 사람이 삶에서 추구해야 할 궁극가치로 설정한다. 자기 삶을 스스로 결정하는 것, 다시 말해 자신의 목표를 선택하며 그 목표에 부합되는 행동양식을 실천할 능력을 지니고 발휘하는 것이 인간의 본질이라 파악하는 것이다. 그 능력을 발휘할 수 있게 해주는 것이 바로 힘이며, 긍정적인 혹은 이상적인 사회는 그 구성원 각자가 인간으로서 타고난 자질과 능력을 마음껏 사용하고 발전시키는 방향으로 그 힘을 극대화하는 목표를 지향해야 한다고 믿는 것이 윤리학의 이상이다. 어쩌면 김수영 문학은 윤리적 주체가 창작을 매개로 자기실현을 이룩해가는 역동적 과정의 드라마였다고 보아도 무방할 것이다. 우리는 김수영이 여러 산문을 통해 현실의 정치와 사회 문제에도 적극적인 관심을 보이면서 부정적이라 판단되는 현상들에 대해 강력한 이의와 비판을 제기했다는 사실을 알고 있다. 아마도 그의 그런 행동 역시 자기를 실현해가는 윤리적 주체의 행동의 연장선상에 놓이는 것으로 파악할 수 있을 것이다.

3. 예술가의 윤리

김수영은 1953년에 부산에서 선린상고의 영어 교사 등을 하다가 그 해 겨울에 환도하여 주간 『태평양』지에 근무하기도 하며, 1955년에는 평화신문사 문화부 차장으로 6개월가량 근무하다가 그 해 6월에 마포 구수동(舊水洞)에 정착한 다음부터는 어떤 직장에도 다니지 않고 양계를 하며 창작과 번역에 전념하였다. 집에서 양계를 했다고는 하나 그 어떤 직장도 가지지 않고 글쓰기에만 전념하였으니 김수영은 이른바 '전업 시인'이었던 셈이다. 글쓰기에 의한 수입의 대부분은 번역 원고료였겠지만, 그가 나름으로 '전업 시인'이었다는 사실은 김수영이 술값을 잘 내지 않았다거나 원고료에 필요 이상으로 민감하게 굴었다는 소문의 이유에 대해 잘 말해준다. 신문사나 출판사 혹은 대학에 직장을 가졌던 문인들과 비교할 때 김수영은 돈 문제에 민감할 수밖에 없었을 것이다. 다른 문인들의 경우에 원고료가 조금 늦게 나온다고 해도 생활에 별다른 지장을 주지 않았겠지만, 다른 직장 없이 생활해야 했던 김수영에게 원고료는 주요 수입원 가운데 하나였을 것이기 때문이다.

1956년 무렵부터 김수영이 그 어떤 직장도 가지지 않았다는 사실은 그 나름의 결벽증을 보여주는 것이라 하겠다. 김수영은 예술을 일종의 직업으로 선택한 사람의 윤리에 대해 다음과 같이 말하였다.

무릇 모든 예술을 지향하는 사람은 허구 많은 직업 중에서 유독 예술을 업으로 택한 이유는—자기 나름의 독특한 개성을 살려보기 위해서 독특한 생활방식을 갖지 않을 수 없었기 때문에 시를 쓰고 소설을 쓰고 그림을 그리게 된 것이다. 그리고 독특한 시를 쓰려면 독특한 생활의 방식(즉 인식의 방법)이 선행되어야 하고, 시나 소설을 쓰는 사람들이 문단에 등장하는 방식 역시 이러한 생활의 방식에서 제외될 수 없는 것은 물론이다. 남의 흉내를 내지 않고 남이 흉내 낼 수 없는 시를 쓰려는 눈과 열정을 가진 사람이라면, 자기가 문단에 등장하고 세상에 자기의 예술을 소개하는 방법에 대해서도 그것이 독자적인 방법이냐 아니냐쯤은 한번은 생각하고 나옴직한 문제이다.

위의 인용문은, 여러 문예지의 '신인추천' 제도나 일간지의 '신춘문예' 제도가 신인들의 진정한 등용문이 될 수는 없다는 것, 문단에 등단하려는 사람은 자신들이 문학을 선택하게 된 동기가 독특함과 새로움에 있음을 자각하고 그 나름의 독특하고 새로운 등단방식에 대해 고민해야 한다는 것 등을 피력한 「문단추천제 폐지론」에 나오는 구절이다. 김수영에 따르면, 예술가란 이 세상의 다른 그 무엇과도 교환될 수 없는 자기 나름의 '독특한 개성'을 소유한 존재이다. 그런 존재에게 이 세상에 이미 주어져 있는 가치들은 그의 삶을 이끌어나가게 할 만한 객관적 가치의 규준을 제공해주지 못한다. 예술가가 예술을 자신의 직업으로 선택한 이유는 예술의 창작활동을 통해 자기만의 독특한(새로운) 가치를 생성하기 위함이다. 여기에는 예술가의 존재 자체에서 촉발되는 어떤 윤리가 있다. 예술가는 독특한 가치를 생성하기 위해 예술창작뿐 아니라 자신의 생활에서도 독특한 생활의 방식을 추구해야 한다. 기존의 보편적 삶의 윤리나 가치에서 예술 주체로서의 주체성을 발견하지 못하는 예술가는 자기의 '독특한 개성'에 근거하여 스스로를 계발하여 독특한 주체로서 창출하고 자기만의 독특한 삶의 기술을 발견해야 하는 것이다. 예술가의 존재 윤리에 근거한 예술적 주체의 삶의 방식은 윤리의 미학화(aestheticization)라고 부를 수 있는 삶의 방식을 요구한다. 이제 예술적 주체는 자신의 내적인 열정들을 통제하고 자신의 삶 자체를 일종의 예술작품으로 만들어야 한다. "시나 소설을 쓴다는 것은 그것이 곧 그것을 쓰는 사람의 사는 방식이 되는 것이다. 따라서 시나 소설 그 자체의 형식은 그것을 쓰는 사람의 생활의 방식과 직결되는 것이고, 후자는 전자의 부연이 되고 전자는 후자의 부연이 되는 것이다"라는 김수영의 주장은 윤리의 미학화에 관한 설명 이외의 다른 것이 아니다. 윤리의 미학화는 주체성의 특수한 방식을 구성하는 주변적 삶의 방식을 진정한 가치의 실현으로 파악하게 된다. 「마리서사」라는 글에서 김수영은, 전위예술을 깊이 이해하고 즐길 수 있는 능력을 지니고 있음에도 그것을 세속적 명리(名利)의 밑천으로 이용하지 않고 끝끝내 무명의 간판장이로 생활했던 박일영을 "성인에 가까운 진정한 아웃사이더"라고 높이 평가한다. 그러한 평가의 근거 역시 윤리의 미학화에 있다. 김수영이, 그가 쓴 산문의 여러 곳에서, 청탁을 받아 원고료를 받고 글을 쓰는 행위를 가리켜 이름을 얻고 돈을 벌기 위해 하는 '매문행위'라고 규정하면서 스스로를 비판하는 것도 윤리의 미학화에 근거한 자기반성 행위이다.

1950년대에 씌어진 김수영의 시편들은 자기형성의 윤리와 윤리의 미학화에 따른 반성의 시라 부를 수 있는 것들이다. 그것들은 그 내용에서 '일기 쓰기'의 규칙들을 성실히 따른다. 거의 예외 없이 작품에 화자이자 반성의 주체인 '나'가 등장하거나 작품들이 어떤 단일한 주제로 쉽사리 포섭되지 않는다거나 하는 것들은 모두 일기 쓰기의 변형에서 파생된 것들이다. 요컨대 1950년에 씌어진 김수영의 작품들은 산문적 진술의 직접성과 명확성이 시의 형태로 압축되는 과정에서 배제되어 버리고, 일기 쓰기의 전형적 특질들인 질책 반성 다짐 격려 등이 감정과 긴장이 실린 극적(劇的) 언어로 표출된 것이라 할 수 있다. 그러한 특징을 고려하지 않는다면, 우리는 김수영이 쓴 거의 대부분의 시에서 작동하는 윤리적 긴장의 밀도를 놓치게 된다.

많은 경우 김수영의 시편들에서 대상은 아름다움 때문이 아니라 품성 때문에 선택되며, 사물이나 자연에 내재되어 있다고 판단되는 품성들은 화자로 하여금 스스로를 반성하게 하는 일종의 '명(銘)'과 같은 역할을 한다. 「달나라의 장난」의 경우도 그렇지만, 그의 대표작들로 손꼽히는 「병풍」(1956), 「눈」(1956), 「폭포」(1957)와 같은 작품들의 경우도 사정은 동일하다. 「달나라의 장난」에서 '팽이'는 "스스로 도는 힘"을 얻기 위하여 부단히 노력하는 덕성을 지닌 존재인데, '팽이'의 그런 품성이 화자에게 "영원히 나 자신을 고쳐가야 할 운명과 사명"을 환기시킨다. 「병풍」에서 '병풍'은 "주검을 가지고 주검을 막고 있"는 존재인데, '병풍'의 그런 품성은 '나'에게 무엇보다 '설움'과 '허위'를 끊어야 한다고 가르쳐 준다. 「눈」에서 '눈'은 "죽음을 잊어버린 영혼과 육체를 위하여" "새벽이 지나도록 살아 있"는 존재인데, '눈'의 그런 품성은 '나'에게 '살아 있다'는 사실을 증명하도록 권유한다. 「폭포」에서 '폭포'는 '고매한 정신'의 상징과 같은 존재인데, '폭포'의 그런 품성이 '나'로 하여금 항상 '나타(懶惰)와 안정'을 경계하도록 해준다.

4. 피로와 무력감

1957년에 김수영은 「영롱한 목표」 「폭포」 「눈」 「서시」 「광야」 등 그의 전체 작품 가운데 대표작에 속하는 것들을 발표하였다. 그런데 1958년에는, 한 해에 보통 12편 내외의 작품을 발표하는 그의 평균적인 생산 수준에 미치지 못하는 6편의 작품만을 발표하였다. 1959년에는 14편의 작품을 발표함으로써 평균 수준을 되찾긴 하지만, 문제는 1957년 이후로 그가 작품에서 빈번하게 '피로'와 '무력감'을 호소한다는 것이다. 「동맥(冬麥)」(1958)이라는 작품에서는 "내 몸은 아파서/태양에 비틀거린다/내 몸은 아파서/태양에 비틀거린다"라고 말하는가 하면, 「달밤」(1959)에서는 심지어 "이제 꿈을 다시 꿀 필요가 없게 되었나보다/나는 커단 서른아홉살의 중턱에 서서/서슴지 않고 꿈을 버린다//피로를 알게 되는 것은 과연 슬픈 일이다/밤이여 밤이여 피로한 밤이여"라고 말한다. '피로'란 그 무엇을 위해 육체와 정신의 힘을 소모한 데에서 비롯하는 몸과 마음의 상태를 가리킨다. 인용 구절에 근거할 때, 김수영은 '꿈'을 지니고 있고, 그의 '피로'는 그 '꿈'을 실현하기 위한 과정에서 필연적으로 파생되는 것이라 볼 수 있다. 그런데 김수영은 '피로' 때문에 "서슴지 않고 꿈을 버린다"고 말한다. 그의 '꿈'의 구체적인 내용은 무엇이며, 그가 그토록 '피로'에 빠지게 되는 이유는 무엇인가? 우리는 앞에서 김수영의 시에서 반복되는 '윤리적 주체'의 모습에 대해 언급한 바 있다. 김수영 시의 화자는 대부분 자기실현을 위해 부단히 노력하는 '윤리적 주체'의 모습을 보여준다. 시와 산문을 포함하는 김수영 문학의 맥락 안에서 '윤리적 주체'는 보편적으로 정식화된 규범이나 합리성의 체계에 의존하지 않으며, 외부 세계와의 단절 속에서 이루어지는 폐쇄적 자기애나 이기주의와도 거리가 멀다. 김수영 시의 화자는 주체의 자유와 자율성의 표지인 '스스로 도는 힘'을 얻기 위하여 투신하면서 동시에 자신이 속한 역사와 사회와 정치의 장에 대한 적극적인 관심을 표명한다. 흔히 자신의 시대와 사회에 대한 적극적인 관심과 비판은 김수영 문학의 60년대적 특징이라 거론되지만, 1950년대에 발표한 김수영의 산문에서도 그러한 관심과 비판을 확인할 수 있다. 1950년대에 김수영이 발표한 산문은 「면봉」(1953. 9), 「낙타 과음」(1953. 12), 「안수길」(1953), 「무제」(1955), 「현기증」(1956) 등 모두 6편인데, 그것들은 「낙타 과음」을 제외하고는 60년대에 발표된 산문들과 거의 구별이 되지 않을 정도로 유사하다. 특히 '면봉'을 예로 들어 우리나라의 문화정책을 비판한 「면봉」, 현기증을 치료하려는 과정에서 오히려 현기증을 느끼게 되는 현실을 통해 우리 문화의 뿌리 없음을 비판한 「현기증」 등은 발표년도를 60년대로 고쳐놓는다고 하더라도 전혀 이상하게 느껴지지 않을 정도이다. 이러한 사실들은 사회와 정치에 대한 김수영의 관심이 4·19의 체험을 통해 비로소 점화되었다고 보는 시각을 재고하게 만든다. 아무튼 김수영의 '피로'의 원인과 관련하여 우리는 1959년에 씌어진 아래의 작품을 주목하게 된다.

모두다 마음에 들지 않어라
이 黃昏도 저 돌벽 아래 雜草도
담장의 푸른 페인트 빛도
저 고요함도 이 고요함도

그대의 正義도 우리들의 纖細도
行動이 죽음에서 나오는
이 욕된 郊外에서는
어제도 오늘도 내일도 마음에 들지 않어라

그대는 반짝거리면서 하늘아래에서
간간이
자유를 말하는데
우스워라 나의 靈은 죽어있는 것이 아니냐

—「사령」 부분

1960년대에 발표한 산문에서 김수영은 "4월혁명 후의 1년간은 자유는 급제를 했지만 시인들은 여전히 처참한 낙제를 했다. 만약에 그 당시에 한국의 기성시인들의 작품이 아름다워 보였다면 그에 못지않게 삼류신문사에 투고돼온 지방의 무명청년들의 시도 아름다웠다. 아니 시뿐만 아니라 그렇게 추악하게 보였던 한국의 풀떨기와 돌들까지도 아름다워 보였다"라고 말하였는데, 그것은 위의 시를 이해하는 중요한 단서가 된다. 화자가 "이 黃昏도 저 돌벽 아래 雜草도/담장의 푸른 페인트 빛도/저 고요함도 이 고요함도" 다 마음에 들지 않는다고 한 이유는 그것들이 모두 "추악하게 보였던" 까닭이다. 위의 시가 발표된 무렵의 현실 상황을 요약해 보면, 1958년에는 조봉암을 제거하려는 진보당 간첩사건(이 사건으로 조봉암은 1958년 10월 25일에 사형이 언도된다)과 보안법 제정이 있었고, 1959년에는 『경향신문』 폐간 등 독재정권의 수호를 위한 반민주적이고 반민족적인 불법 사건들이 줄을 이어 벌어졌다. 결국 김수영에게 당시의 풍경조차 추악함에 물든 것처럼 보였던 것은 당시 우리의 현실이 그만큼 추악했기 때문이었던 것이다. 위의 시에서 화자가 "활자는 반짝거리면서 하늘아래에서/간간이/자유를 말하는데/나의 영은 죽어있는 것이 아니냐"라고 말하고 있는 것으로 보아, 김수영은 당시의 부정적 정치 상황과 관련하여 아무런 대응을 하지 못하는 자신을 자책하고 혐오했던 듯하다. 그런 사정이 그에게만 국한된 것은 결코 아니겠지만, 그 강도 면에서 그가 좀 더 특별했던 것으로 보인다.

5. 작렬(炸裂), 그러나 다시 아픈 몸

1950년대 말에는 우리나라의 경관(景觀)마저 추악해 보였던 터라 김수영에게 4·19의 체험은 그 누구보다도 특별했다. '해방공간'에서 김수영과 절친하게 지내다가 월북했던 김병욱(金秉旭)에게 보내는 편지의 형식을 취한 「저 하늘이 열릴 때」라는 글에서 김수영은 4·19 때에 자신은 하늘과 땅 사이에서 '통일'을 느꼈으며, '4월'을 계기로 남

한이 '작열'하게 되었다고 말했을 정도이다. 4·19 이후 1960년에 김수영이 발표한 작품은 모두 13편이다. 그 가운데 과거 부정적 정치와 현실의 표지인 이승만의 사진을 모두 떼어내 버리고 모든 것을 다시 새롭게 시작하자는 취지를 담은 「우선 그 놈의 사진을 떼어서 밑씻개로 하자」(1960. 4. 26)와 4·19의 정신이 훼손되지 않도록 각별한 노력을 기울여 '혁명'을 완성하자는 취지를 담은 「기도」(1960. 5. 8) 두 편은 「저 하늘이 열릴 때」라는 산문에서와 같은 격정과 환희를 거의 동일하게 보여주지만, 그 이후에 씌어진 「육법전서와 혁명」(1960. 5. 25), 「중용에 대하여」(1960. 9. 9), 「그 방을 생각하며」(1960. 10. 30), 「나카타 켄지로」(1960. 12. 9) 등의 작품들에는 '혁명'이 제대로 수행되지 못하는 현실에 대한 분노와 안타까움과 실망과 격렬한 풍자와 비판이 들어 있다.

1961년에는 모두 17편의 작품을 발표하는데, '5·16 군부 쿠데타'를 기점으로 그 이전에는 「눈」(1961. 1. 3)과 「사랑」(1961)을 비롯한 5편을, 그 이후에는 '신귀거래' 연작 9편을 포함하여 12편을 각각 발표하였다. '5·16 군부 쿠데타' 이전에 발표된 것들은 4·19가 그 본질을 잃어버리고 변질되어 가는 과정에서 발표했던 작품들과 거의 흡사한 모습을 보여주며, 그 이후에 발표된 것들 특히 '신귀거래' 연작들은 김수영 시의 대표적 장치들로 손꼽히게 되는 '요설'과 '희화'의 요소를 잘 보여준다. '신귀거래' 연작 가운데 「복중(伏中)」(1961. 7. 22)이라는 시에는 "미친놈처럼 라디오를 튼다/지구와 우주를 진행시키기 위해서/어서어서 진행시키기 위해서/그렇지 않고서는 내가 미치고 말 것만 같아서"라는 구절이 나온다. 삼복더위 때문에 모든 것이 활력을 잃고 정지되어 있는 것처럼 느껴지는 분위기를 당시의 현실상황에 빗대어 노래한 그 구절은, 1950년대 말에 씌어진 「사령」이라는 작품에서 '이 고요함도 저 고요함도' 마음에 들지 않는다고 말한 대목과 매우 흡사하다. 또한 "먼 곳에서부터/먼 곳으로/다시 몸이 아프다"고 호소하는 「먼 곳에서부터」(1961. 9. 30)는 "내 몸은 아파서/태양에 비틀거린다/내 몸은 아파서/태양에 비틀거린다"고 호소하는 「동맥(冬麥)」(1958)을 연상시킨다.

1950년대 말에 '피로'와 '무력감'에 시달렸던 터라 4·19의 '작열'은 김수영에게 대단히 큰 의미로 다가왔던 것으로 보인다. 4·19 이후부터 1961년까지 스스로 기대했던 '혁명'의 수준에 미치지 못하자 분노하고 절망하기도 하지만, 그는 4·19를 체험하면서 큰 힘을 얻었다는 것은 분명한 듯하다. 1960년 6월에 쓴 일기에서 그는 "혁명이란 위대한 창조적 추진력의 부본(counterpart)"이며, "혁명은 상대적 완전을, 그러나 시는 절대적 완전을 수행하는" 것이라고 기록한 바 있다. 그것은 김수영이 '시'를 '창조적 추진력'의 원본으로 생각하였음을 잘 보여준다. 우리가 앞서 살펴보았듯이 '윤리적 주체'는 자율적으로 자신을 끊임없이 창조해나가는 행위와 배치될 수 없다. 결국 김수영 문학에서 스스로를 부단히 창조해나가야 하는 '윤리적 주체'는 '창조적 추진력'의 원본인 '시'를 수행해나가는 '미학적 주체'와 동일한 수준에 놓이게 된다. 이러한 의미의 맥락에서 김수영 문학의 핵심은 '윤리적 주체'와 '미학적 주체'의 합치에 있었다고 보아도 크게 틀린 말은 아닐 것이다. 김수영은, 4·19가 절대적 완전을 수행하는 '시'를 보조하는 상대적 완전의 수행으로서 '혁명'이 될 수 있기를 열망했다. 그러나 4·19가 상대적 완전의 수행인 혁명에도 이르지 못하고, 한껏 고무된 분위기에서 자신이 시도한 "혁명을 방조 혹은 동조하는 시"들이 수정을 요구받거나 게재가 허락되지 않는 상황에 대하여 김수영은 크게 실망하였다. 「복중」과 「먼 곳에서부터」는 그러한 사정을 보여주는 작품들인데, 혁명의 좌절에 대한 실망 속에서도 그가 나름으로 힘겹게나마 새로운 시도를 보여주고자 한 작품이 「아픈 몸이」(1961)와 「시」(1961)이다.

아픈 몸이
아프지 않을 때까지 가자
온갖 식구와 온갖 친구와
온갖 적들과 함께
적들의 적들과 함께
무한한 연습과 함께

—「아픈 몸이」 부분

어서 또 일을 해요 변화는 끝났소
편지봉투모양으로 누렇게 결은
시간과 땅
수레를 털털거리게 하는 욕심의 돌
기름을 주라
어서 기름을 주라
털털거리는 수레에다 기름을 주라

욕심은 끝났어

논도 얼어붙고

대숲 사이로 침입하는 무자비한 푸른 하늘

쉬었다 가든 거꾸로 가든 모로 가든

어서 또 가요 기름을 발랐으니 어서 또 가요

—「시」 부분

「아픈 몸이」는, '윤리적 주체'의 자기 형성 과정은 사회나 역사와 단절된 고립 속에서 이루어지는 것이 아니라 하나의 사회적 실천을 통해서 이루어지는 것임을 보여준다. 다시 말해 '윤리적 주체'의 자기 형성은 폐쇄적인 영역 안에서 자신에 대한 이기적인 배려를 통해 이루어지는 것이 아니라, 친족관계, 우정, 사회적 의무의 지평 위에서 이루어지는 사회적 관계의 강화를 통해 이루어지는 것이다. 한편, 「시」는 4·19를 매개로 이루어지기를 원했던 변화가 제대로 이루어지지 않았음에도 나름으로 부단히 나아가야 하는 '윤리적 주체'의 존재론을 보여준다. "편지봉투모양으로 누렇게 결은/시간과 땅"이란 구절이 잘 말해주듯이 4·19를 매개로 이루어지기를 원했던 변화의 핵심 내용은 이 나라와 역사의 '후진성'이었으나 그 변화는 제대로 이루어지지 않았다. 그렇게 변화에 대한 기대는 어쩌면 지나친 '욕심'이었는지도 모른다. 변화와 발전을 위해 땀 흘려 일해야 할 마당인 '논'은 얼어붙었건만, 하늘과 땅 사이에서 '통일'을 느끼게 했던 '푸른 하늘'의 기억은 여전히 생생하다. 그렇기에 화자는 그러한 기억의 힘으로 "어서 기름을 주라"고, "실 같은 바람 따라 어서 또 가"자고 말한다.

김수영은 4·19가 일어난 지 약 2개월 후에 쓴 「푸른 하늘을」(1960. 6. 15)과 관련하여 자신의 일기에서 "요즈음의 나의 심경은 외향성과 명랑성과 내향적 침잠 혹은 섬세성을 완전히 일치시키는 데 성공하고 있다. 졸시 「푸른 하늘을」이 약간의 비관미를 띠고 있는 것은 역시 격려의 의미에서 오는 것이리라"고 밝히고 있다. 김수영의 그런 고백은 4·19로 인해 그의 심경과 시에 변화가 생겼음을 말해 준다. '5·16 군부 쿠데타' 이후 씌어진 시에서 "몸이 다시 아프다"고 하였지만, 그의 시가 4·19 이전으로 돌아간 것은 결코 아니었다. 「아픈 몸이」와 「시」에서도 확인할 수 있듯이 4·19 이후에 씌어진 작품들에서는 적어도 '피로'나 '무력감'을 발견할 수 없으며, 나아가 50년대에 씌어진 작품들에서 그토록 빈번하게 등장했던 '설움'이라는 낱말이 거의 자취를 감춘다.

6. 폭로적 분석과 풍자적 익살

1961년에 쓴 '신귀거래' 연작 이후 김수영의 시에는 한 가지 커다란 변화가 발생한다. 그 변화는 작품에 희극적 성격이 도입된다는 것이다. 50년대에 씌어진 대부분의 작품도 그렇지만, '신귀거래' 연작 이전에 씌어진 작품들의 화자는 내면적으로 언제나 남보다 높은 위치에 있다. 그 높이는 윤리적 고도라 할 수 있는 것인데, 거기에 이르는 것이 어렵지만 그럼에도 도달하기 위해 부단히 노력해야 한다는 사실 때문에 윤리적 주체의 어조에는 언제나 많든 적든 비장함이 깔려 있게 마련이다. 그런데 '신귀거래' 연작 이후에 씌어진 작품들의 화자는 작품에 구축된 희극적 상황 속에서 스스로도 어릿광대와 같은 역할을 담당한다 : 양계를 도와주는 청년의 급료 인상 요구를 들어주지 않기 위해 제시하는 양계 수지타산 보고(「만용에게」, 1962. 10. 25), 자기 아이의 과외공부 현장에서 만난 어떤 학부모에 대한 야유(「여자」, 1963. 6. 2), 비 오는 거리에서 40명가량의 취객들이 지켜보는 가운데 벌어진 부부싸움의 보고(「죄와 벌」, 1963. 10), 자기보다 더 가난하고 훨씬 무거운 짐을 진 것으로 보이는데도 자기보다 더 여유가 있어 보이는 동네사람과 함께 산보하면서 느끼는 자괴감(「강가에서」, 1964. 4), 신문배달하는 아이들의 임무교체를 위해 함께 나온 신문지국장과의 말다툼(「제임스 띵」, 1965. 1. 14), 자기 집에 공부하러 오는, 그래서 자신의 일(시 쓰기와 번역 등)을 적잖이 방해하는 동네 꼬마아이와 벌이는 신경전(「잔인의 초」, 1965. 10. 9), 번역하는 친구를 옆에 놓고 생색을 내기 위해서 잡지 편집자와 전화하는 내용(「전화이야기」, 1966. 6. 14), 집에 들어왔던 도둑이 남긴 흔적을 놓고 벌이는 가족의 반응에 대한 풍자(「도적, 1966. 8」) 등. 대표적인 경우에 해당하는 「도적」을 보자.

> 돈에 치를 떠는 여편네도 도적이 들어왔다는
> 말에는 놀라지 않는다
> 그놈은 우리집 광에 있는 철사를 노리고 있다
> 싯가 七백원가량의 새 철사뭉치는 우리집의
> 양심의 가책이다
> 우리가 도적질을 한 것은 아니지만 우리가

훔친 거나 다름없다 아니 그보다도 더 나쁘다
앞에 二층집이 신축을 하고 담을 두르고
가시철망을 칠 때 우리도 그 철망을 치던
일꾼을 본 일이 있다
그 일꾼이 우리집 마당에다 그놈을 팽개
쳤다 그것을 그놈이 일이 끝나고나서
가져갈 작정이었다 막걸리값으로 하려고
했는지 아침쌀을 팔려고 했는지 아마
그정도일 거라 그것을 그놈이 가져
가기 전에 우리가 발견했다
이 횡재물이 지금 우리집 뜰아래 광에
들어있다

나는 도적이 이 철사의 반환을 꾀하고 있다고
생각한다 우리집 건넌방의 캐비닛을
노리고 있다고는 생각되지 않는다 아마
그럴지도 모르지만
나는 광문에 못을 쳐놓았다
그 이튿날 여편네와 식모가 하는 말을 들어보니
철사뭉치는 벌써 지하실에 도피시켜 놓은 모양이었다
도적은 간밤에는 사그러진 담장 쪽이 아닌
우리집의 의젓한 벽돌기둥의 정문 앞을
새벽녘에 거닐었다고 한다

시험공부를 하느라고 밤을 새는 큰아이놈의
말이다 필시 그럴거라

—「도적」 부분

이 시에 등장하는 모든 인물들은 제목 그대로 모두 '도적'이다. 시인의 집 마당에 슬쩍 철사를 던져 놓은 인부도, 자기의 것이 아닌 것을 지키려고 광문에 못을 치는 시인도, 더욱 잽싸게 지하실에 도피시켜 놓게 한 시인의 아내도, 주인의 말이라고 무조건 따른 식모도, '도적'이 아니었을지도 모르는 사람을 부모의 말만 듣고 도적이라고 생각한 시인의 큰아들도, 담장에 철조망을 두르는 이층집 주인도 모두가 다 도적이다. 특히 시인은 "의젓한 벽돌기둥"으로 된 자신의 집 정문을 묘사함으로써 담장에 철조망을 두르는 이층집 주인과 자신이 크게 다르지 않다는 점을 넌지시 보여준다.

위의 시에 나오는 모든 인물들은, 김수영이 즐겨 쓰는 말로 모두 '양심'을 저버린 죄의 공모관계에 연루돼 있다. 여기서 주목해야 할 점은 '죄의 공모관계'에 관한 것이다. 보편적으로 사회에 의해 매개된 세계에서는 이 세계에서 이루어지는 죄의 연관관계의 외부에 위치하는 것은 아무것도 없다. 김수영이 가장 증오한 것은 우리 사회의 후진성과 허위의식이었지만 그러한 것을 증오하고 비판하는 자기 자신조차도 거기에 연루되어 있다는 사실을 그는 냉철하게 인식했다. 문명이나 사회가 내 바깥에 있거나 내가 그 바깥에 있는 것이 아니라, 그것의 한가운데에 내가 있고 그것이 내 한가운데 있다. 문명이나 사회에 죄가 있다면 동시에 내게도 죄가 있게 된다. 그러한 사실의 인식 때문에 김수영은 우리 사회의 부정적 양상들을 비판할 때에는 죄의 연관관계의 외부에서 하지 않고 자기도 그 죄에 연루된 일종의 '공범 증인'으로 스스로의 죄를 자백하면서 그러한 비판을 수행한다. 작품들 거의 대부분이 희화적 분위기를 띠고 있는 것도 비판의 그러한 이중적 양상 때문이다.

그런데 우리는 1960년대 특히 '신귀거래' 연작 이후에 김수영이 쓴 작품들에서 포착되는 희극적 성격의 강화와 관련하여 그 자신의 다음과 같은 진술을 주목해 볼 필요가 있다 : "첫째로 재미있고 익살스러운 것. 둘째로 간결한 말투를 잘 쓰는 명수라는 것. 셋째로 착상이 기묘하다는 것. 그리고 넷째로 인간 세계의 여러 가지 진실을 직시하는 통찰력과 용기를 지니고 있다는 것". 앞의 인용문은 김수영이 영국 소설가 뮤리얼 사라 스파크(Muriel S. Spark)의 작품 세계와 관련하여 그녀를 현대 사회의 '탁월한 어릿광대'라 규정하면서 그러한 규정의 근거를 밝힌 대목이다. 그 내용 가운데 둘째 항목의 '간결한 말투'를 '요설'과 '능변'으로 바꾼다면, 그 대목은 우리 현대시사에서 가장 '탁월한 어릿광대'였던 김수영의 작품 세계를 규정하는 하나의 관점이 될 수 있을 것이다. 1960년대에 발표된 김수영의 시에는 자기만이 '의'와 '진리'를 고민하거나 행하고 있다는 영웅적인 자의식에서 오는 심리적 우월감과 극적 비장감이 없다. 동시에 작품에서 '설움'이라는 낱말이 사라지고 화자의 목소리에서는 자기 연민과 서러움의 정조가 사라진다. 그 대신 자기 자신을 비롯하여 모든 인물들이 저지를 수 있는 부정적 행동의 양상들을 풍자적 희화화를 통해 폭로하지만, 그러한 희화화의 익살스러움이 비판과 부정의 대상이 되는 모든 인물들의 인간적 면모를 훼손하지는 않는다. 바꾸어 말하면, 자신을 비롯한 모든 인물들이 지니고 있는 부정적 양상은 폭로되고 공격되지만, 아니 그것들이 그렇게 폭로되고 부정됨으로써 인간 그 자체는 오히려 구원의 빛 속에 놓이게 된다. 분방한 풍자와 유쾌한 익살이 우리 정치와 풍속의 다양한 문제들에 보다 깊숙이 침투할 수 있었다면, 아마도 김수영은 '탁월한 어릿광대'로서 우리 문학사에 보다 풍성한 유산을 남겼을지도 모른다. 그러나 4·19가 일어난 이후 몇 개월 동안을 제외한다면, 김수영이 생활하면서 시를 쓰던 시대는 분방한 풍자와 유쾌한 익살을 제대로 발휘할 수 있기에는 지나치게 삭막하고 억눌린 시대였다. 삭제와 수정과 게재불가에 대한 강박적 피해의식을 언급한 여러 산문들에서도 볼 수 있듯이, 그가 그토록 정치의 자유와 문학(창작)의 자유를, 그리고 윤리적 주체와 미학적 주체를 일치시키려고 노력했던 것도 자신이 속한 시대의 후진성과 불모성을 극복해 보려는 나름의 시도 때문이었을 것이다.

7. 「풀」과 자기 촉발의 힘

김수영이 작고한 해인 1968년에 씌어진 작품은 「성(性)」(1968. 1. 19), 「원효대사」(1968. 3. 1), 「의자가 많아서 걸린다」(1968. 4. 23), 「풀」(1968. 5. 29) 등 모두 네 편이다. 간혹 지켜지지 않긴 했지만 김수영은 20여 년에 걸친 시작 기간 동안 평균 한 달 내지 두 달에 한 편 꼴로 작품을 발표하곤 하였는데, 1968년에도 그러한 작품 발표의 간격이 지켜졌음을 알 수 있다. 1968년에 발표된 네 편의 작품들 가운데 「풀」을 제외한 나머지 세 편은 우리가 앞서 살펴본 '폭로적 분석'과 '풍자적 익살'의 계열에 속한다. 분석 주체인 '나'가 등장하여 자기 자신과 자신이 속해 있는 풍속을 풍자하고 비판하며, 정도 차이는 있으나 모두 희극적 성격이 강하다. 그런데 「풀」의 경우에는 그러한 요소들이 발견되지 않는다.

풀이 눕는다.
비를 몰아오는 동풍에 나부껴
풀은 눕고
드디어 울었다
날이 흐려서 더 울다가
다시 누웠다

풀이 눕는다
바람보다도 더 빨리 눕는다
바람보다도 더 빨리 울고
바람보다도 먼저 일어난다

날이 흐리고 풀이 눕는다
발목까지
발밑까지 눕는다
바람보다 늦게 누워도

바람보다 먼저 일어나고
바람보다 늦게 울어도
바람보다 먼저 웃는다
날이 흐리고 풀뿌리가 눕는다

—「풀」 전문

위의 시는 풀과 비와 날과 바람이라는 네 개의 명사가 '나부낀다' '눕는다' '일어난다' '운다' '웃는다'라는 다섯 개의 동사 그리고 '흐리다'라는 한 개의 형용사와 엇걸리는 관계가 단순하게 반복되는 형태로 되어 있다. 그러나 '바람'과 '동풍', '풀'과 '풀뿌리'와 같은 유의어들을 사용하고, '드디어' '다시' '빨리' '먼저' '늦게' 등의 부사와 '까지' '보다' 등의 토를 다양하게 활용함으로써 '풀'의 움직임이 단순한 반복 이상의 어떤 의미를 지니고 있는 듯한 인상을 주고 있다. 이와 같이 「풀」은 외형상으로만 보아도 폭로적인 자기 분석과 풍자적 익살에 기반을 둔 작품들의 계열체와는 크게 구별되는 작품이다. 「풀」의 이러한 성격과 관련하여 한편에서는 김수영 문학의 진화 과정에서 그 작품이야말로 그가 정말로 쓰고 싶었던 작품이고 그 이후로도 지속적으로 쓰고자 했을 작품이라고 주장하는가 하면, 다른 한편에서는 그 작품은 "행복한 시간의 우연"에 불과한 것이라고 주장하면서 그 이후로 그가 과연 그와 같은 작품을 지속적으로 추구했을 것인가에 대해서는 회의적인 입장을 보인다. 미래는 함부로 예단할 수 없는 것이므로 그 이후로도 김수영이 그와 같은 시도를 하였을 것인지에 대해서는 파악할 수 없으나, 적어도 우리는 「풀」이 결코 그의 시의 진화 과정에서 돌발적으로 생겨난 “행복한 시간의 우연”이 아니라 점진적인 형성 과정의 필연적인 귀결이라 생각한다. 우리가 볼 때, 「풀」은 그 내용의 측면에서는 「토끼」와 「달나라의 장난」과 「병풍」과 「폭포」를 잇는 ‘윤리적 주체’의 부단한 자기형성 과정의 한 매듭점이며, 동시에 그 형태의 측면에서는 「눈」(1966)과 「꽃잎」 연작들에서 집중적으로 시도된 ‘언어의 작용’과 연관된 실험 과정의 한 매듭점이라고 보기 때문이다.

「풀」을 검토해 보면 현실의 경험 세계의 맥락과 관련한 몇 가지 대립항들이 있음을 알게 된다. ‘풀’과 그 움직임의 동력원인 ‘바람’의 대립, ‘눕고/일어나고’와 ‘울고/웃는’에서 확인되는 움직임의 양태상의 대립이 바로 그것들이다. 그런데 이 작품에는 이제까지 별로 주목된 적이 없는 대립항이 하나 더 있다. 그것은 ‘나부끼다’와 ‘눕다/일어나다/울다/웃다’ 사이의 대립이다. 이들 다섯 개의 동사는 모두 풀의 움직임을 묘사한 것이라는 점에서는 동일하다. 차이점은, ‘나부끼다’가 사실적인 묘사인 반면에 그 밖의 다른 것들은 의인화를 통한 비유적 묘사라는 것이다. 「풀」의 분석에서 이 새로운 대립항에 대한 주목은 매우 중요하다. 왜냐하면 ‘눕고/일어나고’와 ‘울고/웃는’의 의미상 대립이 보다 심층적인 대립구도(풀의 타율적인 움직임과 자율적인 움직임의 대립) 속에서 완화되기 때문이다. ‘눕다, 일어나다, 울다, 웃다’라는 각각의 동작은, 그것들의 의미상의 차이 자체가 무화되는 것은 아니지만, 적어도 상호 부정적인 차원의 대립에서는 벗어나게 되는 것이다. 풀은 바람에 나부끼지만, 풀을 나부끼게 하는 바람 또한 울고 웃고 눕고 일어나는 행동을 풀과 함께 반복한다. 풀은 바람보다 늦게 울고 늦게 눕기도 하고 바람보다 먼저 웃고 먼저 일어나기도 한다. 현실 세계에서 풀의 움직임은 바람에 의한 수동적인 것이지만, 작품의 가상 세계에서 풀의 움직임은 능동적인 것으로 바뀐다. 그것은 「풀」이라는 예술작품에서 구축된 하나의 사건이다. 그리고 작품의 구조, 다시 말해 언어들의 짜임관계는 풀의 자율적 움직임이라는 놀라운 사건을 당연하고 필연적인 것으로 받아들이게 한다. 작품에서 '눕는다'와 '운다'가 더 자주 나오지만, 작품의 분위기는 더 적게 나오는 '일어난다'와 '웃는다'에 의해 더 크게 영향을 받는다. '일어난다'의 능동적 움직임과 '웃는다'의 기쁜 감정은 풀의 능력을 부단히 증대시키고 심지어 '풀뿌리가 눕는다'라는 능동적 자기 촉발의 움직임으로 나아가게 한다(풀뿌리의 움직임은 바람의 영향과는 아무런 관계가 없는 철저한 자기 촉발의 움직임이다). 이처럼 김수영의 시 「풀」은 '풀'이라는 존재의 능력의 극대화를 통한 기쁨과 긍정의 세계를 보여준다. 작품을 이해하기 위한 전제로서 풀을 민중이라고 보는 알레고리적 해석의 시각은 작품 자체의 문맥과 통하지 않는다. 그러나 「풀」에서 구축된, 작품의 구조에 의해 필연적이고 당연한 것으로 여겨지게 하는 풀의 자기 촉발의 능력이야말로 '민중'이 지녀야 할 근원적인 힘이라고 말하는 것은 가능하다.

김수영이 1968년에 발표한 시론인 「시여, 침을 뱉어라」의 부제는 '힘으로서의 시의 존재'이다. 그는 1960년대에 쓴 여러 산문에서 박용철(朴龍喆)의 「빛나는 자취」 같은 작품들이 보여주는 '힘의 세계'에 대해 자주 언급한다. 자기 촉발의 '힘'에 대해 노래하는 「풀」이 '행복한 시간의 우연'이 아니라 점진적인 형성과정의 필연적인 귀결이라고 보는 근거도 바로 그러한 사실들에 있다. '자유'와 '사랑'과 '힘'과 '새로움'이 하나의 문학 세계 안에서 용융하는 김수영 문학에 대하여 우리는 고정된 본질 대신에 운동과 변화가 가득 찬, 어떤 특별한 고정점도 없으므로 무한한 운동을 가능하게 하는 '힘의 세계'로의 부단한 추구라 규정할 수 있을 것이다.

김수영 문학과 모더니즘

1.

문학에서 '모더니즘'(modernism)은 단일한 개념으로 정의하기가 매우 까다로운 용어이다. 정의하기의 까다로움으로 치자면 '낭만주의'(romanticism)이나 '사실주의'(realism)의 경우에도 사정은 크게 다르지 않다. 이들 세 용어는 그것이 함의하는 내포의 범위가 매우 넓다는 점에 그러한 개념 규정의 일차적인 어려움이 있다. 그런데 모더니즘의 경우는 다른 두 경우보다 개념 규정에 어려움이 따른다. 그것은 일정한 틀 속에 갇히기를 거부하는 태도 그 자체가 바로 모더니즘의 중요한 원칙 가운데 하나이기 때문이다. 개념 규정의 어려움에도 불구하고 어떤 형태로든 한계를 설정하지 않으면 논의 자체가 어려워진다는 점을 우리는 우선 인정해야 할 것이다. 그러나 모더니즘의 개념을 미리 설정하고 한국 모더니즘 문학의 양상을 살펴보고자 할 때 한국 근대문학사의 완강한 사실들을 많은 부분 배제하게 된다는 점도 우리는 충분히 고려해야 할 것이다. 이러한 진퇴양난의 상황에서 우리는 한국 근대문학사의 완강한 사실들이 어떻게 모더니즘과 관계를 맺어 왔느냐 하는 점을 추적해 보는 시도를 할 필요가 있다. 문예사조사의 맥락에 근거하여 구성할 수 있는 '모더니즘'의 정의를 미리부터 설정하지 말고, 한국 근대문학사의 맥락 내부에서 발생한 사건들 속에서 모더니즘이 어떻게 수용되고 있는가 하는 점을 살펴보자는 것이 이 글의 출발점이다. 이 글의 그런 취지에 따라 본문에서는 한국 근대문학사의 사실 가운데 하나로서 '김수영 문학'을 선택하여 한국 모더니즘 문학의 한 양상을 살펴보고자 한다.

김수영 문학과 모더니즘을 연관시켜 논의하는 시각은 우리에게 결코 낯선 것이 아니다. 김수영과 모더니즘의 관계라는 문제를 제외하고 김수영 문학을 검토하게 될 경우 우리는 그의 문학의 특징적 양상 가운데 중요한 부분을 놓치게 되고 말 것이다. 김수영과 참여문학의 관계라는 문제 역시 김수영 문학을 검토하는 데 요청될 수 있는 매우 유용한 관점이다. 그러나 그것은 김수영과 모더니즘의 관계라는 문제만큼 우리에게 포괄적인 관점을 제공해 주지 못한다. 모더니즘과 연관된 김수영 문학의 논의는 참여문학과 연관된 논의를 포함할 수 있기 때문이다(그 역은 성립되지 않는다). 김수영이 자신만의 문학적 개성을 구축하는 과정에서 보여주는 모더니즘과의 관련 양상을 검토함으로써 우리는 그의 문학에서 확인되는 모더니즘의 성향뿐만 아니라 참여문학의 성향까지 함께 해명할 수 있을 것이다. 이 글에서는 김수영의 산문을 주요 텍스트로 삼아 이제까지 제기한 문제들을 풀어보고자 한다.

2.

김수영이 쓴 월평들을 읽어보면, 그가 다른 시인들의 작품에서 긍정적으로 평가하는 요소가 무엇이었는지 알게 된다. 중견 시인의 시든 신진 시인의 시든 김수영이 좋다고 평가한 작품들에 대한 나름의 판단 근거는 다음과 같은 것들이다 : '견고한 자기풍의 시' '자기의 소리' '자기의 체질' '독특한 자기 체질의 순수성'. 우리는 '독창성'이라는 개념으로 그런 것들을 모두 포괄할 수 있을 것이다. 시인, 더 넓게는 모든 예술가들에게 그들의 존재 근거는 바로 '독창성'이라는 것이 김수영의 중심 생각인데, 다음의 인용문은 그 점을 분명하게 확인시켜 준다.

> 무릇 모든 예술을 지향하는 사람은 허구 많은 직업 중에서 유독 예술을 업으로 택한 이유는 자기 나름의 독특한 개성을 살려보기 위해서 독특한 생활방식을 갖지 않을 수 없었기 때문에 시를 쓰고 소설을 쓰고 그림을 그리게 된 것이다. 그리고 독특한 시를 쓰려면 독특한 생활의 방식(즉 인식의 방법)이 선행되어야 하고, 시나 소설을 쓰는 사람들이 문단에 등장하는 방식 역시 이러한 생활의 방식에서 제외될 수 없는 것은 물론이다.[1]

이상의 인용문은, 여러 문예지의 '신인추천' 제도나 일간지의 '신춘문예' 제도가 신인들의 진정한 등용문이 될 수는 없다는 것, 문단에 등단하려는 사람은 자신들이 문학을 선택하게 된 동기가 독특함과 새로움에 있음을 자각하고 그 나름의 독특하고 새로운 등단방식에 대해 고민해야 한다는 것 등을 피력한 「문단추천제 폐지론」에 나오는 구절이다. 위에서 우리에게 주목되는 것은 "자기 나름의 독특한 개성을 살려 보기 위해 독특한 생활방식을 갖지 않을 수 없었기 때문에 시를 쓰고 소설을 쓰고 그림을 그리게 된 것이다"란 부분이다. 여기서 "자기 나름의 독특한 개성"이 다른 어떤 것보다 바로 그것을 더 잘할 수 있게 하는 근거라는 의미에서의 천부적 재능을 말하는 것으로 보이지는 않는다. 그것이 단순히 그런 의미였다면 굳이 바로 뒤에 이어지는 "독특한 생활의 방식(즉 인식의 방법)"과 연결될 필요는 없었을 것이기 때문이다. 그렇다면 "독특한 생활의 방식"이 필연적으로 요구되는 "자기 나름의 독특한 개성"이란 무엇을 가리키는 것일까. 그것은 차라리 '허무주의'의 다른 표현으로 보는 것이 훨씬 더 타당하다 : 이미 주어진 가치들에서는 자신의 삶을 이끌어 나가게 할 만한 그 어떠한 규범이나 모범을 찾을 수 없기에 자신의 앞으로의 삶에 대해 아무런 전망도 갖지 못하는 상태, 그러나 이미 주어진 기존의 가치들과의 불화와 청산은 바로 그 순간에 새로운 가치정립이라는 자유롭고 진정한 과제를 부여해 주며 이러한 과제의 부단한 이행을 통해 완성되는 것으로서의 '허무주의'. 「문단추천제 폐지론」의 다른 부분에서 김수영이 "예술

1) 김수영, 『김수영전집2, 산문』, 민음사, 1981, p.145. 앞으로 이 책에서 인용할 경우는 '전집 2'로 약칭하기로 한다.

가는 되도록 비참하게 나와야 한다. 되도록 굵고 억세고 날카롭고 모진 가시 면류관을 쓰고 나와야 한다"라고 말하는 것도[2], 모름지기 예술가는 기존의 가치들과 불화를 겪는 정도가 크고 강렬하면 할수록 새로운 가치정립의 과제에 대한 열망과 추구 역시 그만큼 크고 강렬해진다는 점을 말하기 위함이었을 것이다. 또 「시인의 정신은 未知」라는 글에서 "기정사실은 그(시인 필자 주)의 적이다. 기정사실의 정리도 그의 적이다"라고 주장할 때,[3] 우리는 김수영이 말하는 '자기 나름의 독특한 개성'이 단순히 천부적인 예술적 재능을 말하는 것이 아니라, 기존의 가치에 대한 근원적 절망과 그 절망을 극복하려는 자기 나름의 의지로서의 '허무주의'를 그 밑바탕에 깔고 있다는 것을 알 수 있다. 위의 인용문에서 "자기 나름의 독특한 개성"과 "독특한 생활방식"이 인과적 필연의 방식으로 긴밀하게 연결될 수밖에 없었던 이유가 바로 그런 사정에서 기인하는 것이다. 그러니까 김수영의 사유의 맥락에서 보자면, '독특한 생활방식'은 자기만의 '실존'의 다른 표현인 것이다. 독특한 시를 쓰려면 독특한 생활의 방식(즉 인식의 방법)이 선행되어야 한다고 김수영이 말할 때, 여기서 우리는 인간 현존재의 진정한 존재방식으로서의 '실존'이 예술가의 진정한 존재방식으로서의 '창작'(창조)과 겹쳐지는 것을 보게 된다.

모더니즘은 무엇보다도 기성 전통이나 인습과의 단절을 뜻한다. 현대작가(modernist)들에게 "일상적인 도덕성은 위선으로, 취향은 점잖은 도락으로, 그리고 전통은 거추장스러운 구속"으로 여겨진다.[4] 그

2) 전집 2, p.146.
3) 전집 2, p.187.

들이 배격하고자 하는 것은 19세기 부르주아 사회가 굳게 믿던 사회적·경제적·도덕적 가치 모두이다. 그들이 파괴하고자 하는 가장 직접적인 위선(specious good)은 부르주아 사회의 습관과 풍습과 '가치들'인데, 그 이유는 그것들이 천박함과 같은 무수히 부정적인 것들 또는 불리한 처지의 사람들에 대한 착취와 연관되기 때문이며, 동시에 자유를 향한 개인의 정신의 운동을 저해하고 방해하기 때문, 다시 말해 '보다 풍요로운 삶'(more life)을 방해하기 때문이다.[5] 이처럼 기성의 부정적인 가치들이 가하는 사회의 억압에서 벗어나기 위하여 현대 작가들은 자유 의지를 통해 자신의 행동을 선택하고자 한다. 그러나 자유 의지를 통하여 사회의 모든 제약이나 구속으로부터 벗어나고자 할 때 그들은 소외나 고립이라는 혹독한 대가를 치러야 한다. 그들에게 그러한 소외나 고립은 새로운 가치의 탐색을 통해 참다운 자유와 진정한 정체성을 지키기 위한 전제 조건이다. 실존주의와 정확히 일치하는 것은 아니지만 현대 작가들에게 그 나름의 '실존'이 중요한 문제로 부각되는 이유가 바로 이와 같은 사정에 있다. 김수영에게 한 시인의 작품은 자기만의 '실존'의 시적 변용이어야 한다. 다음의 인용문들은 김수영의 그런 생각을 시사해 준다.

체취가 풍기는 작품, 하면 개성이 강한 작품이라는 것 외에 어딘지 세련되지 않은 데가 있는 작품이라야 하고, 그런 세련되지 않은 데가 오히려 매

---

4) Irving Howe, "Introduction," *The Idea of Modern*, ed. Irving Howe, New York : Horizon, 1967, p.14.
5) Lionel Trilling, "Fate of Pleasure : Wordsworth to Dostoevsky," *Partisan Review* Summer, 1963, p.182.

력이 있다는 뜻이 은연중에 포함되어 있다. 간단히 말하면 땀내가 배어나는 작품이라고 해도 무방할 것이다. 그리고 그 땀내는 자기의 땀내라야 한다. 자기의 땀내. 나는 땀내보다도 '자기의'에 언더라인을 한다.[6)]

조태일은 아류적인 '새로운' 것이 아닌 자기만의 새로운 목소리를 찾으려고 애를 쓰는 가장 촉망되는 신진의 한 사람으로서, 이 달의 그의 작품만 보더라도 그 소재는 변해가고—사회 고발적인 것에서 성의 에로틱한 것으로 있지만 그의 독특한 체질의 순수성을 고수하고 발전시켜 나가고 있는 점이 호감이 간다.[7)]

성춘복의 「출발」은 작품으로서의 성공여부는 고사하고 우선 그의 괴기한 판타지의 유희가 남의 것의 모방이 아니라는 점에서 좋게 생각된다.[8)]

포오즈가 없는 시란, 두말할 것도 없이 견고한 자기풍의 시가 될 것이다.[9)]

위에서 '포오즈'란 '자기의 것'이 없는 단순한 모방과 흉내를 의미한다. 그것은 김수영이 혐오하는 이른바 '코스춤'과 동의어이다. "아류적인 '새로운' 것이 아닌 자기만의 새로운 목소리"만이 죽음과의 관계에서 독특한 긴장과 힘을 유발할 수 있는 '실존의 목소리'이자 그

6) 전집2, p.386.
7) 전집2, p.402.
8) 전집2, p.402.
9) 전집2, p.380.

것이야말로 진정한 창조의 관건이 된다는 것이 김수영의 신념인 듯하다. 인간의 최후적인 결단, 죽음에 대한 태도, 자기만의 실존에로 무조건 헌신하는 능력 속에 존재하는 어떤 자부심, 바로 그것이 위에서 말하는 자신의 체질이자 자신만의 체취이며 “독특한 체질의 순수성”이다. 그런 자부심은 역사적(좁게는 문학사적)으로 그 이전에 가능했던 것보다 더욱 완전하게 혹은 훨씬 다르게 수행하려는 예술적(혹은 시적) 창조의 의지를 불사를 수 있게 해준다는 점에서 그 의의가 있다. 그리고 그런 창조의 열정과 의지만이 역사적(혹은 문학사적) 과거의 유산과 대결하게 함으로써 그만의 가장 고유한 업적을 전개할 수 있게 해줄 것이다. 이러한 사정들을 고려할 때, 다음 인용문들에서 확인되는 것처럼 현재의 시점으로부터 부단히 벗어나 불확정적인 미래의 지점으로 향하는 존재로서 시인을 규정하려는 김수영의 관점에서 우리는 그의 모더니즘 성향을 분명히 확인하게 된다.

> 그는 언제나 시의 현시점을 이탈하고 사는 사람이고 또 이탈하려고 애를 쓰는 사람이다. 어제의 시나 오늘의 시는 그에게는 문제가 안된다. 그의 모든 관심은 내일의 시에 있다. 그런데 내일의 시는 未知다. 그런 의미에서 시인의 정신은 언제나 미지다.[10]

> 시인은 영원한 배반자다. 寸秒의 배반자다. 그 자신을 배반하고, 그 자신을 배반한 그 자신을 배반하고……이렇게 무한히 배반하는 배반자. 배

10) 전집 2, p.187.

반을 배반하는 배반자……이렇게 무한히 배반하는 배반자다.[11]

3.

앞 절에서 우리는 김수영의 문학관에 내재해 있는 모더니즘 성향에 대해 살펴보았다. 그런데 그러한 이해는 지나치게 범박하다는 점에서 김수영만의 독특함을 설명해 주는 것으로는 불충분하다. 따라서 우리는 김수영 자신의 문학행위와 연관된 보다 직접적인 측면에 대한 검토로 나아가지 않으면 안 된다. 김수영이 문학을 선택하게 된 동기를 직접적으로 드러낸 글을 찾을 수는 없지만, 그 문제와 관련하여 간접적인 시사를 받을 수 있는 글들은 몇 편이 있다.[12] 그 가운데 우선 검토해야 할 것이 「마리서사」(茉莉書舍)라는 글이다.[13] 박인환(朴寅煥)이 운영했던 서점인 '마리서사'를 일종의 연극적 무대공간으로 설정하고 그곳에 드나들던 인사들을 등장인물로 등장시키고는 뒤에 숨어서 그 무대를 연출하던 박일영(朴一英)이라는 초현실주의 화가를 강조함으로써 김수영 나름의 문학에 대한 태도를 드러낸 글이 바로 그것이다. 그 글에서 김수영은 자신이 애초에는 문학이 아니라 연극에 관심을 갖고 있었으며, '마리서사'라는 공간을 통해 김기림·김광균·오장환·박인환·김병욱·이한직 등의 문인들과 교우를 맺으면서 문학에

11) 전집 2, p.189.
12) 「마리서사」「연극하다가 시로 전향」「문단추천제 폐지론」 등과 같은 글들이다.
13) 전집 2, pp.71~75.

입문하게 되었다고 고백한다. '마리서사'를 통해 만난 문인들보다 문학에 늦게 입문한 까닭에 1945년 무렵의 김수영은 문학의 현대적 경향에 대해 매우 어두웠던 것 같다. 박인환으로부터 '낡았다'는 지적을 자주 받아 겪었던 마음의 고통이나 자신의 시에 대한 김병욱의 칭찬으로 인한 감격의 정황을 고백하는 장면에서 그러한 사정이 확인된다. 아무튼 문학에 입문한 시절의 김수영은 '현대시'라는 기호표현이 지시하는 '어떤 시'를 쓰고자 했던 것으로 보이지만, 같은 해에 지은 것으로 되어 있는 「묘정의 노래」와 「공자의 생활난」의 상극적인 형상이 보여주는 바와 같이 '현대시'라는 기호표현이 환기하는 '현대성'에 대한 김수영의 이해는 매우 막연한 것이었다. 그런 점에서 김수영 문학의 전개는 '현대시' 또는 '현대성'에 대한 막연한 이해가 나름의 구체적 특성을 확보해 가는 과정이었다고 할 수 있다. 그런데 여기서 한 가지 눈여겨보아야 할 사실은 그와 같이 막연한 이해 속에서도 김수영이 나름의 문제의식을 분명하게 지니고 있었다는 점이다. 아래 인용문은 그런 문제의식과 연관된 정보를 제공해 준다.

나에게는 아직도 해결하지 못하고 있는, 그리고 앞으로도 좀처럼 해결하지 못할 것 같은 세 가지 문제가 있다. 죽음과 가난과 賣名이다. 죽음의 구원. 아직도 나는 시를 통한 구원을 받지 못하고 있는 것처럼 죽음에 대한 구원을 받지 못하고 있다. 그런 의미에서는 40여 년을 문자 그대로 헛산 셈이다. 가난의 구원. 길가에 매일같이 만나는 신문 파는 불쌍한 아이들을 볼 때마다 느끼는 자책감에서 헤어날 길이 없다. 역사를 긴 눈으로 보라고 하지만 그들의 천진난만한 모습을 볼 때마다 왜 저 애들은 내 자식만큼도 행복하지 못한가 하는 막다른 수치감에서 헤어날 길이 없다. 나는 40여 년 동안을 문자 그대로 피해 살기만 한 셈이다. 매명의 구원. 지난 1년 동안에만 하더라도 나의 산문행위는 모두가 원고료를 벌기 위한 賣文 賣名행위였다. 그리고 지금 이 순간에 하고 있는 것도 그것이다. 진정한 '나'의 생활로부터 점점 거리가 멀어지고, 나의 머리는 출판사와 잡지사에서 받을 원고료의 금액에서 헤어날 사이가 없다.

죽음과 가난과 매명. 이 세 가지를 김수영은 "아직도" 해결하지 못하고 있고 "앞으로도" 해결하지 못할 것 같은 문제라고 말하고 있다. 문맥상 여기서 "아직도"라는 것은 '40여 년이 지난 지금에도'를 의미하는 것으로 보아, 세 가지 문제는 그의 필생의 과제였음을 우리는 알게 된다. 그 문제들 가운데 우선 주목해야 할 것은 '매명의 구원'이라는 문제이다. 김수영은 위의 인용문에서 "원고료를 벌기 위한" 글쓰기에 대해 반성하고 있다. "매문·매명행위"는 "진정한 '나'의 생활", 즉 진정한 창조활동과는 거리가 먼 것이다("진정한 '나'의 생활"이라는 구절은 우리가 이미 앞 절에서 검토한 바 있는 모더니즘 경향의 속성 가운데 하나인 실존적 성향을 보여준다). 그러한 글쓰기의 행위는 기존에 이미 구축된 글쓰기의 제도 안에서 이루어지는 것이므로 기존의 제도에 아무런 충격을 주지 못하는, 따라서 새로움을 구현하지 못하는 것으로 김수영은 파악하는 듯하다. 위의 인용문에서 이러한 '매명의 구원'이라는 문제보다 더 흥미로운 것은 죽음과 가난에 대한 문제이다. 김수영은 '죽음'의 문제와 관련해서는 "40여 년을 문자 그대로 헛산 셈이다"라 하고, '가난'의 문제와 관련해서는 "40여 년 동안을 문자 그대로 피해 살기만 한 셈이다"라 말하고 있다. "헛산" 것과 "피해 살기만 한" 것은 근본적으로 다르다. 전자는 그 문제를 해결하기 위해 나름으로 열심히 노력했음에도 불구하고 아직 별다른 성과가 없음에 대한 한탄이고, 후자는 그런 문제의식만 가지고 있었지 실제로는 그것을 해결하려는 노력조차 하지 못했음에 대한 자책이다. 김수영의 여러 산문과 시에서 죽음과 연관된 것들을 자주 찾아 볼 수 있다는 점에서 '김수영과 죽음'의 문제는 우리에게도 낯익은 주제이다. 그렇지만 김수영이 40여 년 동안을 피해오기만 했다고 고백하고 있는 '가난의 문제'는 우리에게는 상당히 낯선 주제이다. 여기서 "가난의 구원"이란 구체적으로 무엇을 말하는 것일까. 그것은 그 자체로서 어떤 의미가 있는 것이 아니라, 김윤식 교수의 지적처럼 "자기의 전문적인 영역 이외의 분야에다 대고서 발언하고 비판하는 계층", 다시 말해 "인류의 문제를 자기의 문제처럼 생각하고, 인류의 고민을 자기의 고민처럼 고민하는 사람"으로서 지식인의 자의식을 드러내주는 것에 불과한 것일까.[14] 그렇게만 보기에는 문맥상 그 문제에 심각한 강조가 주어져 있다. 위의 인용문에서 가난의 문제는, 인간의 유한성을 지시하는 절대적 지표인 죽음의 문제와 동등한 수준에서 언급되고 있기 때문이다. 그렇다면 여기서 '가난의 문제'가 가리키는 것은 무엇인가.

「마리서사」를 쓰게 된 의도와 관련하여 "마리서사를 빌어서 우리 문단에도 해방 이후에 짧은 시간이기는 했지만 가장 자유로웠던, 좌우의 구별이 없던, 몽마르뜨 같은 분위기가 있었다는 것을 자랑삼아

14) 김윤식, 「김수영 변증법의 표정」, 『김수영의 문학』, 황동규 편, 민음사, 1983, p.305.

이야기해 보고 싶었다"고 말하고, 또 앞에서 제시했던 인용문에서 '가난의 구원'과 '역사'를 연결시키는 것으로 보아, 김수영이 뜻하는 '가난의 문제'는 '죽음'이 존재의 모순인 것과 같은 맥락에서 사회와 역사의 모순을 의미하는 것으로 파악된다. 죽음의 구원은 존재론적인 문제인 반면에, 가난의 구원은 사회적이고 정치적이며 역사적인 실천의 문제이다. '가난의 구원'과 연관된 실천의 방식은 여러 가지일 수 있지만, 현실에서 가장 손쉬운 방법은 사회주의 이념을 받아들이는 것, 이른바 '좌익'이 되는 것이다. 그러나 김수영은 그 길을 택하지 않았다.

> 지금도 나는 가끔 이 '貴族'이란 말을 고치지 않은 것이 나의 시적 자기 증명에 어떤 의미를 갖는 것인가 하고 무심히 생각해 볼 때가 있다. 起林은 이것을 '영웅'으로 고치면 어떠냐고 했다. 나는 그의 말을 듣지 않았다. 영웅 나는 그가 말하는 영웅이 무슨 뜻인지 알 수 있었다. 그러나 그 작품에서 '貴族'을 '영웅'으로 고칠 수는 없었다. 그것은 모독이었다. 앞으로 나의 운명이 바뀌어지면 바뀌어졌지 그 말은 고치기 싫다고 생각했다. 이러한 나의 체질과 고집이 내가 좌익이 되는 것을 방해했다.[15]

위의 인용문은 「연극하다가 시로 전향」이라는 글에 나오는 부분이다. 인용문의 바로 앞부분에서 김수영은, 1947년 무렵 "현대시를 쓴다고 자처하고 있었지만 사실은 상당히 로맨틱한 생활을 하고 있었"

15) 전집 2, p.229.

고, 당시에 쓴 「거리」라는 작품도 "그러한 로맨틱한 작품"이었다고 회고한다. 그 작품의 끝머리에 나오는 '귀족'이라는 낱말을 김기림이 '영웅'으로 바꾸자고 제안했으나 김수영은 그 제안을 받아들이지 않았다는 것이다. 나름의 생각을 표현한 작품의 낱말 하나라도 타의에 의해 변질되는 것을 '모독'이라고 생각하는 '체질'과 자신의 생각(표현)을 끝까지 지키는 '고집'이 자신으로 하여금 '좌익'이 되는 것을 "방해했다"는 것이다. 여기서 "방해했다"는 표현에 겹쳐져 있는 의미와 정황의 주름에 주목하기로 하자. 그 표현은 김수영이 좌익이 '되지 않은 것'이 아니라 '되지 못한 것'이라는 점을 은밀히 시사한다. 그 '무엇'이 되지 '않았다'는 표현 속에는 그것에 대한 부정이 들어 있다. 그러나 어떤 방해 때문에 그 '무엇'이 되지 못했다는 표현 속에는 그것에 대한 부정의 계기가 들어 있지 않다. 그 '무엇'을 긍정하기에 그것이 되고 싶었지만 어떤 방해 요인 때문에 그렇게 되지 못한 것이다. 그런데 그 방해의 요인이 자기 자신의 내면(체질과 고집)일 때 문제가 좀 복잡해진다. 되고 싶은 그 '무엇'이 결과적으로는 부정되긴 하지만, 그것에 대한 지향이 여전히 남아 있게 되는 것이다. 자신과 절친했던 김이석(金利錫)의 죽음을 애도하는 글에서, "나는 사실은 그의 문학보다도 늘 그의 사상이 더 궁금했고, 이쪽 이야기보다도 저쪽 이야기를 더 듣고 싶었는데, 그의 단편집은 그러한 나의 개인적인 호기심을 하나도 풀어주지 않았다"고 말하고,[16] 4·19 직후 김병욱(金秉旭)에게 보내는 서간문의 형식으로 쓴 글에서 "나는 이북의 정치에 장

16) 전집 2, p.40.

점이 있다는 것을 인정하는 사람"이라고 하고,[17] 또 자신에게는 술이 취하면 "이북 노래를 부르는 악벽"이 있다고[18] 고백할 때, 우리는 "방해했다"는 표현 속에 잠재해 있는 어떤 정서적 진동을 느낀다. 아무튼 김수영은 '가난의 구원'과 연관된 선택에서 이른바 '좌익'을 택하지 않았고, 그러한 선택의 이면에는 낭만주의적이고 자유주의적인 기질이 작용한 것으로 보인다. 맑시즘의 문제의식을 공유하고 있음에도 실천의 측면에서는 맑시즘의 길로 나아가지 않았던 이유가 바로 낭만주의적이고 자유주의적 기질에 있었던 것이다. 그런데 위에 인용된 대목의 앞부분에서 김수영은 「거리」라는 작품을 자신의 "마지막 낭만시"로 규정함으로써 낭만주의와의 연결선을 스스로 끊어 놓고 있다. 그렇다면 김수영에게 남는 것은 '세계의 변혁'이라는 추상화된 맑시즘의 이념과 자유주의적 실천을 통한 '자유의 쟁취'라는 이념이다. 모든 구속으로부터 해방된 글쓰기의 윤리학, 글쓰기라는 행위(실천)에 의해 쟁취된 자유라는 김수영 문학의 핵심이 바로 여기에 있다. "그(시인—필자)는 언어를 통해 자유를 읊고, 또 자유를 산다. 여기에 시의 새로움이 있고, 또 그 새로움이 문제되어야 한다 〔…중략…〕 새로움은 자유다. 자유는 새로움이다"란 구절에서도 확인할 수 있듯이,[19] 김수영이 '자유'와 '새로움'이 시인의 창작에 요청되는 동질적인 가치로 언급한 것도 바로 그와 같은 이유 때문이다.

---

17) 김수영, 「저 하늘이 열릴 때」, 『세계의 문학』, 민음사, 1993년 여름호, p.213.
김병욱은 김수영이 연극을 하다가 그만두고 혼자서 시를 쓸 무렵 친교를 맺었던 시인으로, 광복 직후 명동 일대에 모여든 모더니즘 계열의 신진시인들 중 한 사람이다. 그는 좌파운동의 활동가였으며 수배를 받아 인천으로 도피하기도 했으며 결국 나중에 월북했다.
18) 전집 2, p.40.
19) 전집 2, p.196.

'자유' · '새로움' · '실천' · '참여' · '불가능' · '윤리' · '양심' 등의 낱말이 유독 김수영의 문장 속에서 특별한 힘과 긴장을 촉발시키는 것도 김수영에게 고유한 '글쓰기의 윤리학' 때문이다. 김수영의 그런 윤리학은 모더니즘에서 요구하는 '윤리학'과 친족관계를 맺고 있다. 김수영은 맑시즘의 행동에 의한 참여(실천)를 글쓰기에 의한 참여로 변용하였으며, 더 나아가 그러한 참여를 글의 내용에서가 아니라 글쓰기 자체의 형식 속에 설정하고자 하였다. 행동을 통한 맑시스트의 실천과 글쓰기를 통한 모더니스트의 실천이 동일한 수준에서 겹쳐질 수 있는 문제와 관련하여 우리는 바르트의 다음과 같은 주장을 검토할 필요가 있다.

> (…) '언어를 바꾸자'(Changer la langue)라는 말라르메의 구호는, 마르크시스트의 구호인 '세계를 바꾸자'(Changer le monde)라는 말과 공존합니다. 거기에는 말라르메가 추종했고, 아직도 추종하는 사람들의 정치적 수용이 있습니다.[20]

바르트는 위와 같은 '정치적인 수용'으로부터 "문학 언어의 어떤 윤리"가 나타난다고 본다. 인간의 개인적인 발화(parole)는 한 시대와 사회를 지배하는 언어체(langue)에 그 토대를 두고 있다. 인간은 그 언어체 안에 이미 구축되어 있는 것들을 가져다 발화를 구성한다. 자신의 발화를 스스로 구성한다는 측면에서는 주인이지만, 이미 구축되

20) R. 바르트, 김희영 역, 『텍스트의 즐거움』, 동문선, 2002, p.128.

어 있는 것에 예속될 수밖에 없다는 점에서 인간은 노예이기도 하다. 언어체에는 필연적으로 예속과 권력이 뒤섞여 있기 마련이다. 만약 우리가 권력에서 벗어나는 힘뿐만 아니라, 특히 그 누구도 굴종시키지 않는 힘을 자유라고 부른다면, 자유는 언어 바깥에서만 존재할 수 있다. 그러나 불행하게도 인간의 언어에는 출구가 없다. 언어체를 통과하지 않으면 우리는 의사를 소통할 수 없기 때문이다. 이러한 진퇴양난의 문제와 관련하여 바르트는 불가능의 대가를 치르고서야 겨우 빠져 나올 수 있을 뿐이라고 말한다. "현대성(modernism)은 더 이상 가능하지 않게 된 문학(Literature)의 추구와 함께 시작된다"는 바르트의 주장 역시 동일한 맥락의 표현일 것이다.[21] 바르트의 문맥에 대한 검토에서도 확인되듯이, 김수영은 우리 근대문학사에서 사회적 실천과 연관된 '정치적인 수용'의 문제로부터 "문학 언어의 어떤 윤리"의 문제가 제기된다는 점을 가장 첨예하고 섬세하게 이해했던 시인일 것이다.

한국 근대문학사에서 김수영은 모더니즘 문학의 핵심이 '부정성'에 있다는 사실을 가장 분명하게 인식한 시인이다.[22] 1966년에 한국 시단에서 발표된 작품들을 대상으로 씌어진 글에서 김수영은 "정도의 차이는 있지만 소위 '예술파'의 신진들의 거의 전부가 적당한 감각적인 현대어를 삽입한 언어의 조탁이나 세련되어 보이는 이미지의 나열

21) Roland Barthes, *Writing Degree Zero*, Trans., Annette Leaves and Colin Smith, New York : United states of America, 1980, p.38.

22) 모더니즘의 부정성에 대한 김수영의 이해를 고찰한 것으로는 아래의 논문들이 있다.
조현일, 「김수영의 모더니티觀에 관한 연구 : 트릴링과의 영향관계를 중심으로」, 『작가연구』 제5호.
강웅식, 「김수영의 시론 연구 : '현대성'과 '부정성'의 의미를 중심으로」, 상허학보 제11집.

과 구성만으로 현대시가 된다고 생각하는 무서운 과오를 범하고 있다"고 지적하였다.[23] 한국 근대시사를 정리할 때 우리는 흔히 '감각적인 현대어'나 '세련되어 보이는 이미지'가 들어 있는 시들을 모더니즘 계열로 분류하곤 한다. 그리고 사회적 실천과 연관된 내용이 배제된 시를 '순수시'의 계열로 분류하곤 한다. 시에서 사상을 말할 때도 우리는 시의 내용에 담긴 사상만을 주로 언급한다. 이러한 관습들에 대해 김수영은 다음과 같이 비판한다.

> (…) 소위 순수를 지향하는 그들은 사상이라면 내용에 담긴 사상만을 사상으로 생각하고 大忌하고 있는 것 같은데, 시의 폼을 결정하는 것도 사상이라는 것을 잊어서는 안된다. 이런 미학적 사상의 근거가 없는 곳에서는 새로운 시의 형태는 나오지 않고 나올 수도 없다. 그리고 이런 미학적 사상이 부르조아 사회의 사회적 사상과 얼마나 유기적인 생생한 연관성을 갖고 있는가 하는 것은 비근한 예가 뷰토오르나 귄터 그라스를 보면 알 수 있다. 진정한 폼의 개혁은 종래의 부르조아 사회의 미 즉 쾌락의 관념에 대한 부단한 부인과 전복에 의해서만 이루어진다. 우리 시단의 순수를 지향하는 시들은 이런 상관관계와 필연성에 대한 실감 위에 서있지 않기 때문에 항상 낡은 모방의 작품을 순수시라는 이름으로 제시하고 있다.[24]

김수영에 따르면, 순수시는 사회적 또는 정치적 실천의 문제를 작품의 내용으로 포섭하지 않은 시를 가리키는 것이 아니다. 그가 말하

23) 전집 2, p.246.
24) 전집 2, p.245.

는 순수시는 새로운 시적 형식의 구축을 통해 "부르조아 사회의 미쾌락 의 관념에 대한 부단한 부인과 전복"을 노리는 시이다. 순수시의 실험은 오직 글쓰기만이 노예의 상황에 처한 인간 조건에 대해 이해타산이 개입된 타협 없이 절대적으로 순수하게 항거할 수 있다는 믿음에 토대를 둔다. 저항의 실천을 글쓰기 내부에 가둠으로써 사회적 실천의 행동 능력을 희생시키지만, 저항의 글쓰기에 의해 구축된 텍스트 내부에 새로운 체험을 발견할 수 있는 힘을 보존함으로써 기존의 세계와는 다른 세계를 꿈꿀 수 있는 능력을 이용하려는 것이 순수시에 내재한 '사상'이다.

4.

김수영의 시론을 가리켜 우리는 흔히 '온몸의 시론'이라고 부른다. '온몸의 시론'은 모더니즘에 대한 이해를 통해 김수영이 구축한 그 나름의 독특한 시론이다. 필자가 보기에 김수영의 '온몸의 시론'은 '긴장의 시론'이기도 하다. 그 시론을 통해 김수영은 '언어의 서술'과 '언어의 작용' 사이의, 또는 '내용'과 '형식' 사이의 긴장을 강조하기 때문이다. 김수영의 시론을 파악하기 위해서 우리는 그가 말하는 '긴장'의 문제에 특별히 주목해 보아야 한다.

> (…) 도대체가 시라는 것은 그것이 새로운 자유를 행사하는 진정한 시인 경우에는 어디엔가 힘이 맺혀 있는 것이다. 그러한 힘은 初行에 있는 수도

있고 終行에 있는 수도 있고 중간의 어느 行에 있는 수도 있고 行間에 있는 수도 있다. 이것이 시의 긴장을 조성하는 것이다. 진정한 시를 식별하는 가장 손쉬운 첩경이 이 힘의 소재를 밝혀 내는 일이다. (…) 이 작품에는 힘이 맺혀 있는 데가 없고, 시의 긴장이 없고, 새로운 언어의 자유를 행사한 흔적이 없고, 따라서 시의 양심을 이행하지 않았고, 결국은 시가 아니라는 말이 된다. 내가 보기에는 그렇다.[25]

김수영은 시의 어딘가에 맺혀 있는 힘이 작품의 긴장을 조성한다고 말한다. 여기서 '긴장'이라는 용어는 그가 우연히 택한 것이 아니다. 그것은 김수영이 스스로도 많은 영향을 받았다고 고백하는 알렌 테잇(Allen Tate)의 시론에 나오는 핵심 개념이다.[26] 알렌 테잇과의 영향관계와 관련하여 김수영은 1966년에 쓴 자신의 '시작 노우트'에서 다음과 같이 말한 바 있다 : "이 시에서도, 그 밖의 시에서도 나는 알렌 테이트의 시론을 충실히 지키고 있다. Tension의 시론이다. 그러나 그의 시론은 검사를 위한 시론이다. 수동성의 시론이다. 진위를 밝히는 도구로서는 우선 편리하지만 위대성의 여부를 자극하는 발동기의 역할은 못한다. 이것이 시론의 숙명이다. 이런 때는 시를 읽는 게 최상이다."[27] '텐션'(tension)은 좋은 시가 갖추어야 하는 필수적인 성질

---

25) 전집 2, pp.196~197.
26) 김수영과 알렌 테잇의 영향관계를 다룬 논문 가운데 주목할 것으로 다음 논문이 있다. 박지영, 「김수영의 초기시에 끼친 영미 시론의 영향」, 『반교어문연구』 제14집, pp.533~558.
27) 앞의 책, p.303. 1981년에 민음사에서 나온 김수영 전집의 초판에는 필자가 'tension'이라고 표기한 부분이 'tenison'으로 되어 있다. 그리고 2003년에 나온 개정판에는 'Tennyson'으로 되어 있다. 개정판의 편집자는 그 부분이 시인 테니슨(A.Tennyson)을 가리키는 것으로 본 듯한데, 그렇게 보면 문맥이 통하지 않는다.

에 대하여 알렌 테잇이 붙인 특수한 용어이다.

> 나는 '텐션'(긴장)이란 용어를 일반적인 비유가 아닌 특수한 비유로 사용한다. 이 용어는 '엑스텐션'(밖으로 뻗음)과 '인텐션'(안으로 모임)이라는 논리학 용어에서 접두어 '엑스'(밖으로)와 '인'(안으로)을 잘라버리고 만든 것이다. 물론 내가 말하는 것은 시의 의미는 그것의 '긴장'이라는 것, 즉 그 안에서 우리가 찾아볼 수 있는 모든 밖으로 뻗음(외연)과 안으로 모임(내포)이 충만히 조직된 몸이라는 것이다. 우리가 추정할 수 있는 가장 거리가 먼 비유적 의미라도 그 문자적 내용의 외연적 의미와는 모순되지 않는다. 또는 문자적 내용으로부터 시작하여 단계적으로 비유의 복잡한 의미를 전개시킬 수도 있다. 각 단계마다 우리는 그때가지 파악된 의미를 진술할 수도 있다. 그때마다 의미는 논리적 일관성을 띤다.[28)]

위의 인용문에서 확인되다시피 '텐션'은 시의 언어가 발휘해야만 하는 기능과 연관된 것이다. 사실 시에서 언어는 단순히 어떤 대상을 가리키는 기능에만 국한되지 않는다. 그것에는 다양한 비유의 형식에 의해 지시적인 '외연'의 의미를 초월하는 기능도 포함되어 있다. 의미의 측면에서만 보자면 그러한 것을 언어의 '내포'라고 말할 수 있다. 시어의 의미는 곧바로 파악되는 '외연'과 여러 가지 매개를 거쳐 파악되는 '내포'로 이루어진다. 이미 파악된 '외연'은 아직 파악되지 않은

---

28) 알렌 테잇, *The Man of Letters in the Modern World*, New York : Meridian Books,1955, p.71. 이 글의 인용은 다음 책에서 재인용하였다. 이상섭, 『복합성의 시학』, 민음사, 1987, p.103.

'내포' 때문에 불안정한 상태에 놓이지만, '외연'이 없으면 '내포' 역시 성립될 수 없다. 시어의 의미는 '외연'과 '내포'의 충돌 때문에 언제나 긴장 상태에 놓이게 된다고 하더라도 궁극에는 "논리적 일관성을 띤다". 시어의 의미 차원에서 생각할 수 있는 긴장의 문제를 작품 전체의 차원으로 확대한 것이 테잇이 말하는 '텐션'의 개념이다.

테잇의 '텐션'이라는 개념은 단순히 시어의 기능이나 시의 구조를 설명하기 위해 개발된 것이 아니다. 그것은 현대의 상황과 그것을 부정하는 시의 '현대성'과 관련하여 테잇이 나름으로 깊은 고민 끝에 도달한 결론이다. 테잇에 따르면, 시인의 정신 속에는 세계에 대한 감각과 지적 능력이 공존한다 : "정신의 두 극이 서로 분리되어 있지 않다. 우리는 상극적 활동에 의해 쉽사리 노정되는 명백한 긴장에서 두 극을 짐작한다. 생각 그 자체라는 것도, 감정 그 자체라는 것도 없고, 둘이면서도 둘이 아닌 경험의 독특한 초점만이 있다".[29] 그러한 정신이 겪은 세계의 경험을 언어로 수용한 시는 '지식이되 최대한의 포괄적 지식이다'.[30] 그와 같이 '포괄적 지식'인 시는 현대라는 비인간화된 시대에 특별하고 중요한 기능을 담당한다. 테잇에 의하면 비인간화의 양상은 사회에서 통용되는 말의 쓰임에서 가장 잘 드러난다. 사람을

29) 알렌 테잇, 같은 책, p.222. 본문에서 인용은 이상섭의 다음 책에서 재인용.
이상섭, 같은 책, p.96.

30) 이상섭, 같은 책, p.105.
테잇의 시론이 김수영에게 끼친 영향은 대단히 크다. 김수영은 4·19 직후 간행된 진보계 신문 『민족일보』에 부분적으로 삭제된 채 게재되었던 글에서 이렇게 말한다 : "형(해방 후 월북한 시인 金秉旭 필자). 나는 형이 얼마큼 변했는지 모르지만 역시 나의 머리 속에 있는 형은 누구보다도 시를 잘 알고 있는 형이오. 나는 아직까지도 '시를 안다는 것'보다 큰 재산을 모르오. 시를 안다는 것은 전부를 아는 것이기 때문이오".(『세계의 문학』 1993년 여름호, p.213. 참조).

목적으로 보지 않고 수단으로 취급하기 시작하면서 말은 수단인 사람을 집단적으로 통제하기 위한 '전달'(communication)의 도구로만 기능할 뿐이고 여러 사람이 서로 뜻을 함께 하는 '친교'(communion)의 매개로는 기능하지 못한다. 결국 인간의 다양한 경험에 대한 '포괄적 지식'인 시가 "충만히 조직된 몸"(the full organized body)의 긴장이어야 하는 이유는 인간에게 언어를 '친교'의 매개로서 되돌려 주려는 데 있다.[31] 김수영은 「히프레스 문학론」이라는 글에서 테잇의 '친교'라는 낭만적 비전을 다음과 같은 자유간접화법으로 옮기고 있다.

(…) 다만 여기서 말하고 싶은 것은 언어의 문화를 주관하는 것이 작가의 임무이며, 그 밖의 문화는 언어의 문화에 따르는 종속적인 것이며, 우리들의 언어가 인간의 정당한 목적을 향해서 전진하는 것을 중단했을 때 우리들에게 경고하는 것이 작가의 임무라는 것이다. 사회인의 목적은 시간을 초월한 사랑을 통해서 적시에 심금을 교류하는 데 있다는 것이다. 그리고 그러한 활동에 지장이 되는 모든 사회는 야만 사회라는 것이다.[32]

김수영이 테잇의 '텐션'에 호감을 가지고 그것을 자신의 시론으로 이끌어들여 활용하게 된 것도 기실은 '친교'라는 개념에 잠재해 있는 낭만적 힘 때문이었을 것이다. 여기서 우리는 '전달'과 관련해서 제기되는 몇 가지 문제들에 대해 검토할 필요가 있다. 주로 영미의 시론에

31) "충만히 조직된 몸"(the full organized body)이라는 표현에 주목하기 바란다. 그것은 바로 김수영이 주장한 '온몸 시론'의 씨앗이 되는 부분이기 때문이다.
32) 전집 2, p.206.

서 많은 영향을 받긴 했지만, 김수영은 프랑스의 시론에 대해서도 줄곧 관심을 열어두고 있었다. 실제로 그는 이브 본느프와의 「영·불 비평의 차이」와 비제의 「반항과 찬양 : 불란서 현대시의 전망」이라는 논문을 각각 『현대문학』(1959. 1)과 『사조』(1958. 9)에 번역하여 게재한 바 있다. 비제의 논문은 프랑스 상징주의의 존재론적 시에 대해 검토한 것이고, 본느프와의 논문은 영미시(英美詩)와 프랑스 시의 차이에 대해 검토한 것이다. 그 논문에서 본느프와는 영미시가 항상 무엇인가를 주장하려고 하는 반면에 프랑스 시는 의미에 반기를 든다고 설명한다. 본느프와에 따르면 "시는 정확한 기호—언어에 자기 자신을 세우고, 기호의 가장 객관적인 특질에 지지를 발견하려고 하는 개념적 의미와 모든 뜻을 초월하고, 기호로 하여금 정확한 정의를 중단하도록 강요하는 직각(直覺)과의 사이의 투쟁이다".[33] 사실 프랑스 시의 경향은 시의 언어를 전달의 기능으로부터 분리시킴으로써 근원적인 자기 목적성 안에 가두어 놓는다. 시의 언어가 '취향'이나 '쾌락' 혹은 '자연'이나 '진리' 등의 가치를 전달할 수 있다는 믿음을 포기하고, 나름의 공간 안에서 그러한 가치들에 대한 '유희적 부정'(ludic denial)을 보증할 수 있는 것들(추문, 추함, 불가능한 것)을 창조하고자 한다.[34] 그러한 경향의 시는 결국 스스로의 고유한 형식을 표현하는

33) 이브 본느프와, 「영 · 불 비평의 차이」, 『현대문학』 1959년 1월호, p.336.

34) M. Foucault, *The Order of Things*, New York : A Division of Random House, 1971, p.300.
푸코의 설명은 원래 프랑스 시만을 대상으로 한 것이 아니라 언어의 측면에서 이루어진 문학의 현대성 전반을 대상으로 한 것이다. 그러나 대체로 프랑스 문학의 경향에 근거하여 기술하고 있으며, 특히 '유희적 부정'이 프랑스 문학의 특징적 경향을 잘 보여준다고 판단되어 인용하였다.

것 이외에 어떠한 다른 내용도 담을 수 없게 되었다는 듯 부단한 자기 반성을 통해 글쓰기라는 단순한 행위로 회귀한다. 리차드 P. 블랙머와 같은 영미 비평가가 볼 때, 그러한 경향은 "'진실된' 것과 '현실적인' 것에서 지극히 멀리 떨어져 있는 것이며, 의미가 기호가 되는 여하한 현실과도 아주 멀리 소격(疏隔)되어 있는 것"이다.[35] 블랙머의 평가는 프랑스 시의 '극소주의'(minimalism) 경향을 지적한 것이라 할 수 있다. 알렌 테잇 역시 블랙머의 견해에 동의한다. 그는 「우리들의 사촌 포우씨」(Our Cousin, Mr. Poe)와 「천사의 상상」(The Angelic Imagination)이라는 논문에서 프랑스 비평가들이 상징주의의 창시자로 높이 떠받드는 에드거 알랜 포에 대해 검토한다.[36] 테잇은 말라르메의 시나 초현실주의 시의 경향에서 드러나는 '천사주의의 오류'를 지적한다. '천사주의 오류'는 절대적인 순수 상태를 지향하기 위해 불순하고 물질적이며 인간적인 언어를 거부하고 '천사의 상태'와 같은 언어를 고집하는 것을 가리킨다. 테잇이 보기에 그러한 지향은 애초에 불가능한 것이며 결국 절망만을 체험하고 표현할 뿐이다. 테잇이 '텐션'의 개념에서 '의미의 논리적 일관성'을 보존하고자 하는 것도 그와 같은 '천사주의 오류'에서 벗어나려는 시도이다. 아무튼 테잇의 시론에서는 가시적이고 적극적인 '의미'와 '참여'의 계기가 보존된다.

문학은 '전달'한 적이 없다는 것, 전달할 수도 없다는 것을 깨달으면 그

35) 이브 본느프와, 앞의 글, 같은 책, p.331.
36) 포와 관련한 테잇의 설명은 다음 책에서 참조.
이상섭, 같은 책, pp.113~114.

런 딜레마는 없어진다. 이 관점에서 보면 문학 작품은 '친교'에의 참여인 것이다. 참여는 자연적으로 공동의 경험이라는 관념으로 이끌어간다. 문학 작품은 짧은 서정시에서 긴 서사시에 이르기까지, 특정 시간에 특정 장소에서의 경험으로서의 인간 친교의 계속적 발견이라 한대도 그리 허황된 개념은 아니다……전달이라는 낱말은 목적 없이 수단만 가진 세속적 사회의 승리를 전제하는 것이다.[37]

'친교'(communion)라는 말은 영적 교섭을 가리키는 말이다. 테잇의 문장들을 자유간접화법으로 옮긴 김수영의 표현을 빌리자면, 그것은 '시간을 초월한 사랑을 통해서 적시에 심금을 교류하는' 것이다. 테잇은 궁극적으로 신의 사랑을 통하지 않고서는 사람들끼리의 사랑이 보장될 수 없다고 믿었다. 사랑이 제거되면 사람들의 관계는 일방적 '전달'(communication)의 관계로 전락하고, 전달은 충동·자극·반응 등 자유로운 사람이 아닌 군중을 이룰 뿐이라는 것이다.[38]

김수영은 시간을 초월한 사랑을 매개로 한 '친교'의 개념을 적극적으로 수용하였다. 김수영의 시와 산문에서 '자유'와 함께 가장 빈번하게 등장하는 낱말이 '사랑'이다. 김수영에게 사랑은 자유와 항상 함께 놓여야 하는 것이었다 : "사랑의 마음에서 나온 자유는 여하한 행동도 방종이라고 볼 수 없지만, 사랑이 아닌 자유는 방종입니다."[39] '온몸의 시론'에 대해 언급하고 있는 「시여, 침을 뱉어라」에서도 김수영

37) Allen Tate, 같은 책, p.18. 본문의 인용은 다음 책에서 재인용. 이상섭, 같은 책, p.124.
38) 이상섭, 같은 책, pp.124~125.
39) 전집 2, p.35.

은 시의 내용에 자유를 연결시키고 시의 형식에 사랑을 연결시킨다. 시의 본질이 내용(현실성)과 형식(예술성)의 '양극의 긴장' 위에 서 있는 것이라면, 그것은 동시에 자유와 사랑의 양극의 긴장 위에 서 있는 것이다. 김수영은 언어를 통해 자유를 이행하는 사람이 바로 시인이라고 정의하였다. 또한 그는 "진정한 시는 자기를 죽이고 타자가 되는 사랑의 작업이며 자세"라고도 하였다.[40] 김수영에 따르면, 시작(詩作)은 '자유의 이행'이자 동시에 '사랑의 작업'이다. 시는 자유이자 동시에 사랑인 셈이다. 김수영의 '온몸 시론'의 핵심은 '온몸으로 동시에 온몸을' 밀고 나간다는 데 있다. 우리는 그런 '온몸의 시론'이 '사랑으로 자유를' 동시에 '자유로 사랑을' 밀고 나가는 것이라 이해해도 무방할 것이다. 자유와 사랑의 긴장을 통해 김수영이 말하는 자유는 비로소 예속과 권력으로부터 벗어나는 힘이자 동시에 그 누구도 굴종시키지 않는 힘이 된다. 그리고 그런 힘은 김수영이 모더니즘 정신의 요체로 파악한 '부정성'을 작동시키는 근원 동력일 것이다.

5.

한국 근대문학사의 맥락에서 모더니즘에 대한 이해는 피상적인 것이었다. 그것은 전통주의와 대립되는 창작 경향을 막연하게 가리키는 데 사용되거나 주지적 성향의 문명비판 시를 가리키는 데 사용되었

40) 김수영, 「로터리의 꽃의 노이로제」, 『사상계』 1967년 7월호, p.64.

다. 이러한 사정 때문에 '감각적인 현대어'나 '세련되어 보이는 이미지'가 들어 있는 시들을 무조건 모더니즘 계열로 분류하곤 하였다. 이와 같은 피상적인 수용과 비교해 볼 때, 김수영은 모더니즘 정신의 핵심인 '부정성'을 이끌어 들임으로써 모더니즘과 연관된 논의를 심화시켰다. 그는 모더니즘의 정신 속에서는 사회적 실천과 연관된 정치적 수용의 문제로부터 '문학 언어의 어떤 윤리'의 문제가 제기된다는 점을 인식하였다. 그러한 인식을 통해 그는 '참여시'의 논리로써 '순수시'를 재단하지 않고 '순수시'의 논리로써 '참여시'를 배제하지 않을 수 있는 관점을 확보하였다. 그리하여 그는 '온몸의 시론'이라는 나름의 독특한 시론을 구축할 수 있었다. 내용과 형식의 '긴장'에 대한 섬세한 이해를 바탕으로 하고 있는 '온몸의 시론'은 1920년대의 '내용과 형식 논쟁'과 1930년대의 '기교주의 논쟁', 그리고 1960년대의 '순수와 참여 논쟁'의 연장선상에서 문학의 형식과 내용에 대한 논의의 수준을 한 단계 끌어올리는 역할을 하였다. 한국 근대문학사에서 문학의 내용과 형식에 관한 논의는 서로 긴장관계를 지니는 두 요인을 단순히 양자택일의 형태로 제시해왔었다. 다시 말해 개별 시인이나 작가들에게 그 두 가지 요인 가운데 어느 하나를 특별히 선택해야 한다고 강요해왔었다. 이러한 사정과 비교할 때, 김수영은 '긴장'의 역학에 대한 나름의 이해를 바탕으로 그 문제와 연관된 추상적 이분법을 넘어서고자 하였다. 그런 점에서 모더니즘의 '부정성'에 대한 이해를 중심으로 전개된 김수영 문학은 한국 모더니즘 문학의 확대와 심화를 보여주는 대표적인 사건으로 평가할 수 있을 것이다.

김수영 문학의 현대성과 부정성

— 김수영의 시론을 중심으로

1. 머리말

1968년에 김수영(1902~1968)은 두 편의 중요한 글을 발표한다. 다 알다시피 「시여 침을 뱉어라 : 힘으로서의 시의 존재」와 「반시론」이다. 「반시론」에서는 그 때까지 김수영이 한 번도 호명하지 않았던 하이데거가 등장하고, 「시여 침을 뱉어라 : 힘으로서의 시의 존재」에서는 김수영 시론의 상징이 되다시피 한 '온몸 시론'이 등장한다. 김수영 문학을 이해하고자 하는 사람들 모두 그 두 편의 글에 큰 관심을 보였고 나름의 견해를 표명했다.[1] 이제까지 많은 사실을 알게 되긴 했지만 여전히 해명되지 않은 부분도 많이 있는 듯하다. 충분하게 해명되지 않은 부분들 가운데 가장 대표적인 것은 김수영과 하이데거의 영향관계일 것이라 생각된다. 이승훈 교수가 그 문제에 대해 집중적으로 검토한 바 있으나 김수영이 하이데거와의 만남을 통해 얻은 것이 무엇인지 명쾌하게 해명되지 않은 것 같다. 이 글에서는 그 점에 대해 검토해 보고자 한다.

내가 볼 때 그 두 편의 글에는 자신의 시론과 연관된 김수영의 '전향 선언'이 담겨 있다. 전향과 연관된 전후 맥락이 충분히 파악되지 않으면 그것들에서 김수영이 말하고자 하는 바를 정확히 이해할 수 없다는 것이 나의 생각이다. '전향'이라는 말은 김수영에게는 어울리지 않아 보일 수 있다. 그러나 그는 실제로 그 글들에서 전향을 선언하고 있다. 가장 김수영답게 그만의 전향 선언을 하고 있는 것이다. 그런데 다른 시인들과는 달리 김수영이 전향을 선언한다면 그가 김수영이기 때문에 반듯이 지켜야 할 '윤리'가 있다.

> 색다른 실험을 거듭하던 시인이 형태를 바꾸게 되면 우선 개의하게 되는 것은, 그가 종래의 실험단계에서 어떠한 자양분을 몸에 지니고 나왔느냐 하는 것이다.[2)]

김수영은 검토와 평가의 입장에 서게 되면 위의 인용문에서 제시된 기준에 입각하여 대상 작품이나 시인을 파악한다. 어떤 실험의 계기

---

1) 대표적인 것으로 다음의 논문들이 있다.
김윤식, 「김수영 변증법의 표정」, 『김수영전집 별권 : 김수영의 문학』, 황동규 편, 민음사, 1983, pp.295~315.
이승훈, 『한국현대시론사』, 고려원, 1993, pp.175~201.
강웅식, 『시, 위대한 거절 : 현대시의 부정성』, 청동거울, 1977, pp.48~84.

2) 김수영, 『김수영전집 2 산문』, 민음사, 1983, p.361. 이 글에서는 김수영의 시와 산문의 텍스트로 민음사에서 1983년에 펴낸 '김수영전집'을 사용하였다. 이후 그 책에서 인용할 경우에는 각각 '전집1'과 '전집2'로 약칭하기로 한다.

와 연관된 전후 맥락에서 고민의 흔적이 확인되면 긍정적인 평가를 하고 그렇지 않은 경우에는 부정적인 평가를 내리는 것이 김수영 나름의 검토와 평가 방법이었다. 이러한 방법은 김수영 자신에게도 적용되어야 함은 물론이다. 「반시론」에서 김수영은 하이데거의 '릴케론'에 대해 언급하고 있다. 왜 갑자기 하이데거인가? 현대성(부정성)에 그렇게 골몰했던 시인이 갑자기 릴케에 대해 언급하는 것은 무엇 때문인가? 그가 정말로 하이데거의 '릴케론'을 통해 새로운 시론을 구축하게 되었다면 그 이전까지 그를 지탱하게 했던 시론은 어떤 성격의 것인가? 김수영에게 다른 그 누구도 아닌 하이데거가 필요했던 것은 무엇 때문인가? 이와 같은 의문들에 대해 그 두 편의 글들 자체가 어떤 설명들을 제공해주지 못하다면 김수영은 스스로 새로운 실험과 갱신의 윤리에서 벗어나는 것이 되고 결과적으로 자신의 양심을 저버리는 것이 된다. 이러한 문제의식은 이 글이 진행되는 동안 지속해서 유지되어야 하는 사항일 것이다.

「시여 침을 뱉어라 : 힘으로서의 시의 존재」와 「반시론」은 서로 마주보고 있는 글들이다. 전자를 통해서 후자가 조명되어야 하고, 마찬가지로 후자를 통해서 전자가 조명되어야 한다. 그러나 그것들을 동시에 조명하는 것은 매우 어려운 작업이므로 이 글에서는 우선 전향과 연관된 사정을 비교적 직접적으로 드러낸다고 판단되는 「반시론」을 먼저 살펴보기로 한다. 그리고 그에 앞서 우리는 김수영 시론의 전반적 특질에 대해 먼저 살펴볼 필요가 있다.

2. 현대성과 부정성의 상호관계

김수영과 트릴링의 영향 관계를 중심으로 '김수영의 모더니티관'에 관하여 고찰한 조현일의 논문은 매우 중요한 사실을 지적하고 있다. 그 논문은 김수영 문학의 핵심이 '모더니티'(현대성)의 추구에 있다는 사실을 재확인해 주었다. 김수영의 산문을 한 번이라도 읽어 본 사람이라면 '모더니티'니 '새로움'이니 '현대성'이니 하는 말들이 그가 쓴 문장 속에 얼마나 자주 등장하는지 알고 있을 것이다. 그러한 사정 때문에 김수영 문학과 연관된 논의에서 '김수영과 현대성'이라는 주제는 매우 낯익은 것이다. 그럼에도 조현일의 논문의 중요성을 강조하는 것은 그것이 김수영 문학의 모더니티 지향을 좀더 구체적으로 이해할 수 있는 통로를 열어 준다고 판단되기 때문이다. 사실 어떤 특정한 맥락에 근거하지 않는다면, 현대성·새로움·혁명 등의 개념은 매우 막연하게 이해될 소지가 많은 것들이다. 그 개념들의 의미 내포가 그만큼 크기 때문이다. 현대문학에서 말하는 '현대성'의 발생배경과 시인들의 절망적 고뇌, 그리고 '죽음'을 담보한 시인들의 선택 등에 대한 이해가 선행되지 않는다면, 사실 '현대성'이라는 개념의 의미는 매우 공허해질 수 있다. 김수영 문학과 관련하여 이제까지 논의된 현대성 논의가 나름으로 생산적이긴 했지만, 그 개념의 의미에 대한 이해가 다소 피상적이었다는 사실은 부정되기 어렵다. 조현일의 논문은 그런 피상성을 극복할 수 있는 가능성을 열어준다는 점에서 주목할 만한 논문이다. 그러나 조현일은 김수영의 현대성을 "현대성의 급진화"로 이해한다.[3] 내가 보기에 그러한 이해는 '현대성'에 대한 적절한 이해에도 불구하고 기존의 피상적 이해로 다시 후퇴하는 것과 다름없다. 왜냐하면 문학에서 본질적으로 추구하고자 하는, 그리고 김수영이 추구하고자 했던 '현대성' 자체에 이미 '급진성'이 내재되어 있기 때문이다. '현대성'을 나름으로 정확히 이해하기 위해서는 그러한 '급진성'의 맥락을 충분히 파악해야만 한다. 아무튼 조현일은 김수영의 '현대성'을 이해하기 위한 절차로서 김수영이 번역한 트릴링의 논문을 검토한다. 왜냐하면 김수영은 자신의 '시작 노우트'에서 트릴링이 말한 '현대성의 자각의 요인'에 대해 언급한 적이 있기 때문이다 : "트릴링은 쾌락의 부르조아 원칙을 배격하고 고통과 불쾌와 죽음을 현대성의 자각의 요인으로 들고 있으니까 그의 주장에 따른다면 나의 현대시의 출발은 「병풍」 정도에서 시작되었다고 볼 수 있고 나의 시력은 불과 10년 정도밖에 되지 않는다".[4] 그러면 '현대성의 자각 요인'에 대한 트릴링의 언급이 들어 있는 대목을 살펴보자.

(가) 현대작가가 파괴하려고 애쓰는 가장 직접적인 외양만의 행복은 두말할 것도 없이 부르좌 세계의 습관적 풍속과 '제가치' 등인데, 그것은 다만 이러한 것들이 야비성이나 불리한 처지에 있는 사람들에 대한 착취 같은 수많은 악랄한 것들과 관련을 갖고 있는 때문이 아니라, 또 다른 이유 때문에, 즉 이러한 것들이 자유를 위한 개인의 운동을 저해하고 '더 많은 생명'의 도달을 방해하기 때문에 그렇게 된다. 부르좌 세계의 특수한 사상

3) 조현일, 「김수영의 모더니티관에 관한 연구 : 트릴링과의 영향관계를 중심으로」, 『작가연구』 제5호, p.118.
4) 전집 2, p.230.

의 제도와 양식은 현대의 정신성의 필연적인 최초의 공격 목표가 되고 있다. 그러나 외양만의 행복을 파괴하려는 충동은 현대의 정신에 의해서 쾌락원칙에 봉사하는 가장 온화한 세계에 즉각적으로 돌리어지게 된다는 것은 쉽사리 짐작할 수 있다.[5)]

(나) 궁극적으로 염세주의나 '부정'으로 그친다고 결론을 내리기 전에, 또한 우리들이 논평해온 우리들의 문학의 경향이 비틀어지고 불건전한 것 밖에는 되지 않는다는 결론을 내리기 전에 프로이트가 사실상 '모든 인생의 목적은 죽음이다'라는 말을 하기는 했지만, 그의 논증과정이 그를 '생물은 다만 그 자신의 방법으로서만 죽기를 원한다' 다시 말하면, '생물은 다만 그의 특유한 생활의 복잡한 충족을 통해서만 죽기를 원한다'는 주장으로 이끌고 있다는 것을 상기하지 않으면 아니된다.[6)]

(가)에서 드러나듯이 문학의 '현대성'의 핵심은 파괴(부정)에 있으며, 그 부정의 대상은 "부르좌 세계의 습관적 풍속과 '제가치' 등"이다. 그런 것들이 부정되어야 하는 이유는 "자유를 위한 개인의 운동을 저해하고 '더 많은 생명'의 도달을 방해하기 때문"이다. '현대성'(현대의 정신성 : the modern spirituality)이 파괴하고자 하는 일차적인 대상은 "부르좌 세계의 특수한 사상의 제조와 양식"이지만, 이른바 "가장 온화한 세계"(가장 온화한 사회주의 사회) 역시 부정의 대상이 된

5) L. 트릴링, 김수영 역, 「쾌락의 운명 : 워즈워드에서 도스또예프스키까지」, 『현대문학』 1965년 11월호, p.91.
6) 앞의 책, p.98.

다.[7] 왜냐하면 현실 사회주의 역시 "자유를 위한 개인의 운동을 저해하고 '더 많은 생명'의 도달을 방해하기 때문"이다.

(나)에서 트릴링은 정신분석에서 말하는 '죽음 충동'을 현대의 정신성에 내재하는 '부정'과 연결시키고 있다. '죽음 충동'(thanatos)이란 무엇인가. 정신분석에 따르면, 인간의 정신 구조는 충동과 의식으로 되어 있다. 충동은 쾌락원칙을 따르고 의식은 현실원칙을 따른다. 의식이 하는 일은 충동을 억압하여 쾌락을 억제하고 노동을 받아들이게 하는 것이다. 현실원칙에 의존하는 의식은 쾌락원칙을 따르는 충동의 안전장치라 할 수 있다. 의식의 임무는 충동을 억압하는 데 있다. 그러므로 문화는 충동의 억압에 근거해 있다고 볼 수 있다. 의식이 충동을 억압하는 정도는 사회와 시대에 따라 서로 다른데, 그것이 없다면 사회 자체가 파괴되어버리기 때문에 가해질 수밖에 없는 기본 억압 이외에 어느 특정한 시대나 사회가 불가피한 것이 아닌데도 여러 가지 이유로 가하게 되는 과잉 억압이 있다. 의식이 가하는 억압 아래서 충동은 '삶 충동'(eros)과 '죽음 충동'(thanatos)으로 나뉜다. 삶 충동은 사물이나 타인과 관계를 맺으려는 화합 본능이고, 죽음 충동은 그러한 화합 본능의 작용을 방해하는 것들을 부정하고 증오함으로써 그것들과 관계를 끊으려는 '절연의 충동'이자 파괴 본능이다. 정신분석의 이론에 따르면, 삶의 가장 큰 목적은 죽음 충동과 삶 충동의 상호 보충에 있다. 그런데 그런 상호 보충은 충동에 가하는 의식의 억압이 기본적인 수준에서 이루어져야만 가능하다. 삶의 모든 부분을

7) '가장 온화한 세계'를 '가장 온화한 사회주의 사회'로 이해할 수 있는 문제에 대해서는 조현일의 앞의 글(p.121)을 참조.

노동으로 전환시키려고 하는 과잉 억압이 충동에 가해지면, 삶 충동과 죽음 충동 사이에 유지되던 균형이 깨어지게 된다. 과잉 억압 상태에서는 삶 충동과 죽음 충동이 서로 보충할 수 없게 되며, 삶 본능은 축소되고 죽음 충동은 강화된다. 죽음 충동은 원래 삶 충동을 보충해 주는 것이지만, 삶 충동이 축소되면 죽음 충동이 충동 전체를 대표하게 된다. 죽음 충동의 실현인 증오와 부정에 따른 절연은 삶 충동의 실현인 화합(관계맺음)을 보충하는 것인데, 이것이 전도되어 증오와 부정 자체가 삶의 목적이 되고 쾌락의 대상이 된다.[8)]

결국 트릴링이 '죽음 충동'을 이끌어 온 것은 현대의 정신성에 내재해 있는 부정성(부르주아 이데올로기와의 절연)을 강조하기 위함이다. 부르주아 이데올로기는 삶의 모든 부분을 노동으로 전환시키려 한다. 세련된 관념 조작 장치와 철저한 시장 체제의 관리에 의하여 노동의 주체들이 그러한 사실조차 인식할 수 없게 되는 상태에서 그렇게 한다. 트릴링이 말하는 '현대적 정신성'(the modern spirituality)은 그와 같은 부르주아 이데올로기에 대한 부정과 거절의 정신을 가리킨다. 창조를 지향한다고 하면서도 부르주아 이데올로기에 포섭된 작가나 시인들은 '현대적 정신성'이 "궁극적으로 염세주의나 '부정'으로 그친다"고 비판할지도 모른다. 그러나 그들이 말하는 건강한 것이나 긍정적인 것은 부정적인 세계가 그 위치를 배정해 준 것에 불과한 것들

---

8) 삶 충동은 관계를 맺는 것을 좋아하고, 죽음 충동은 관계를 끊는 것을 좋아한다. 죽음 충동의 양상을 가장 잘 보여주는 것이 우울증이다. 타인과 관계가 단절된 '나'는 세상으로부터 고립된다. '나'는 나의 슬픔 속으로 자꾸 몸을 움츠리고 말을 하지 않으며 울고 아예 입을 닫아버린다. '나'를 세상과 단절시켜버리는 이러한 절연은 '나'를 '나' 자신과도 단절시키고 결국엔 '나'의 사고마저 파괴한다.

이므로 궁극적으로는 부정적인 것들이다. 모두 병들어 있는 부분이 모여 이루는 병든 전체에 대한 전면적 부정 없이는 그 어떤 긍정이나 생성도 이루어질 수 없다. '증오'와 '부정' 그 자체는 부정적인 계기이지만, 부정적인 것에 대한 부정은 긍정적인 것이 된다. 이것이 현대성(부정성)의 반어이다. 죽음 충동은 삶을 파괴한다. 그러나 이미 파괴된 삶 속에서 작동되고 실현되는 죽음 충동은 파괴된 삶을 회복시킬 수 있는 유일한 회복 세포가 된다. 이것이 '현대적 정신성'이 포섭하고자 하는 죽음 충동의 반어이다. '현대적 정신성' 혹은 '현대성'을 담은 예술작품은 죽음(소멸)을 통해 긍정적인 세계에 대한 꿈을 실현한다. 이것이 현대예술의 반어이다. '현대성'은 급진적일 수밖에 없다.

이상과 같은 이해만으로는 '현대성'을 충분히 이해했다고 보기 어렵다. 우리는 '현대성'의 본질인 '부정성'의 의미를 좀더 천착할 필요가 있다. '부정성'의 역학과 관련하여 바르트의 다음 구절은 주목할 만하다.

> ……오늘날 부르주아적 이데올로기에 속하지 않은 언어행위의 장소는 전혀 없다……. 가능한 유일한 반격은 과감한 대결이나 파괴가 아니라, 오직 사취일 뿐이다 : 문화·과학·문학의 과거 텍스트들을 토막내서 알아볼 수 없을 만큼 변한 양식에 따라 그 표현들을 분산 배치하는 것이다. (글쓰기)는 한 사회, 한 이데올로기, 한 철학이 스스로 부여하거나 또는 역사적인 지적인 것의 멋진 움직임 안에서 일치하는 법칙들을 넘어서는 것이다.[9]

"오늘날 부르주아적 이데올로기에 속하지 않은 언어행위의 장소는 없다"는 구절에 주목하기로 하자. 새로운 공동체의 집단적 기획과 같은 역사적 행위의 차원이 폐쇄되어 있는 상황에서는 부르주아적 이데올로기에 둘러싸여 있을 수밖에 없다. 그 이데올로기가 제공하는 목적들(재산, 권력, 사회적 인정)은 "자유를 위한 개인의 운동을 저해하고 '더 많은 생명'의 도달을 방해"한다. 그러한 목적들에 둘러싸인 자아에게 일상적 현존은 '생기 없는 실존'일 뿐이다. 그런데 문제는 그러한 성격의 실존에 생기를 불어넣을 길이 전면적으로 봉쇄되어 있다는 것이다. 우리는 현대성에 내재하는 부정성이 그와 같은 전면적인 봉쇄에 대한 전면적인 대응임을 기억해야 한다. 현대성은 부르주아적 이데올로기가 지배하는 사회 전체에 대한 보편적 부정과 절대적 비순응주의의 표현이다. 그러나 현대성을 추구하는 자아에게도 진정한 삶은 현실적으로 허락되지 않는다. "진정한 삶은 죽음 속에만 있지만, 죽음에는 어떠한 삶도 없다".[10] 그렇다면 '진정한 삶'을 가능하게 하는 '죽음'을 어떻게 살 것인가?

의도한 죽음이라는 측면에서 자살의 성격을 띠기도 하는 그 죽음을 통해 인간적 삶의 독자성(진정성)을 주장할 수 있게 해주는 힘을 발견하려는 사람들이 바로 현대의 작가와 시인들이다. 따라서 그들에게 '현실의 죽음'이라는 절대적 부정성의 움직임은 차단된다. 어떻게든 그 부정성을 '표현'해야만 하기 때문이다. 그들은 역사적 행위의 차원

---

9) Roland Barthes, 「Sade, Fourier, Loyola의 서문」, *Collection Tel Quel*, Paris : Le Seuil, 1971, p.15. & Points-Essais, 1980. 이 글에서 인용은 다음 책에서 재인용한 것임. J. 크리스테바, 유복렬 역, 『반항의 의미와 무의미 : 정신분석의 힘과 한계』, 푸른숲, 1998, p.448.

10) P. 뷔르거, 김윤상 역, 『지배자의 사유』, 인간사랑, 1996, p.84.

이 폐쇄되어 있는 상황에서 글쓰기를 제외하고는 다른 해결책이 없다는 사실을 인정한 사람들이다. 그들은 오직 글쓰기만이 모든 부르주아 이데올로기에 대항해서 타당하게 저항할 수 있다고 믿는다. 부르주아 문명이 이룩한 모든 문학의 표현 형식들은 그들에게는 혐오와 거부의 대상이다. 현대의 시인과 작가들에게 글쓰기는 근본적으로 표현 형식의 윤리이다. 그들의 글쓰기는 나름의 죽음을 표현하는 것, 아니 실천하는 것이다. 그러므로 "현대성(modernism)은 더 이상 가능하지 않게 된 '문학'(Literature)의 추구와 함께 시작된다".[11] 현대의 작가와 시인들은 행동에 의한 참여(실천)를 글쓰기에 의한 참여로 변형하였으며, 더 나아가 그러한 참여를 글의 내용에서가 아니라 글쓰기 자체의 형식 속에 설정하고자 하였다. 그들에게 언어활동(글쓰기 혹은 시쓰기)은 수단이 아니라 목적이었으며 자유와 동일한 것이었다.

현대성(부정성)에 근거한 글쓰기는 참여의 글쓰기이다. 각각 드러나는 양상이 다르다고 하더라도 현대성의 글쓰기는 '죽음에서 합치된다'.[12] 왜냐하면 죽음으로의 도약만이 모든 한계들을 폭파할 수 있게 해주기 때문이다. 김수영이 "나는 시단의 일부의 사람들로부터 참여시의 옹호자라는 달갑지 않은, 분에 넘치는 호칭을 받고 있다"라고 말할 때, 이는 그가 강조하는 현대성에 내재한 참여의 속성 때문에 발생하는 문제이다. 부정성에 근거를 둔 현대성의 원리에 입각할 때 다음과 같은 발언은 지극히 당연하게 된다.

---

11) Roland Barthes, *Writing Degree Zero*, Trans. Annette Leaves and Colin Smith, New York : Hill and Wang, 1980, p.38.

12) 김수영, 「참여시의 정리 : 60년대의 시인을 중심으로」, 『창작과비평』 1967년 겨울호, p.634.

정도의 차이는 있지만 소위 '예술파'의 신진들의 거의 전부가 적당한 감각적인 현대어를 삽입한 언어의 조탁이나 세련되어 보이는 이미지의 나열과 구성만으로 현대시가 된다고 생각하는 무서운 과오를 범하고 있다.

그러면 이와는 대극적인 위치에 놓여있다고 보는 '참여파'의 신진들의 과오는 무엇인가. 이들의 참여의식은 너무나 투박한 민족주의에 근거를 두고 있다. 미국의 세력에 대한 욕이라든가, 권력자에 대한 욕이라든가, 일제시대에 꿈꾸던 것과 같은 단순한 민족적 자립의 비전만으로는 오늘의 복잡한 상황에 놓여 있는 독자의 감성에 영향을 줄 수는 없다. 단순한 외부의 정치세력의 변경만으로 현대인의 영혼이 구제될 수 없다는 것의 세계의 상식으로 되어 있다. 현대의 예술이나 현대시의 출발점이 여기에 있다.[13]

현대성에 근거할 때 이른바 '예술파' 역시 표현양식의 윤리에 따를 수밖에 없다. 진정한 의미에서 '예술파'가 '예술'을 선택하는 이유는 무기력한 실천의 보편적인 합법성에 복종하거나 집단의 명령에 따르는 것을 거부하려는 데 있다. 그들은 글을 쓰는 존재라는 자신의 존재론적 입지를 첨예하게 인식한 사람들이다. 글을 쓰는 순간부터 작가(혹은 시인)는 문학이라는 제도 안에 존재하게 되고 실제로 완전히 그 속에 들어가야 한다. 그것이 그들의 운명이다. 그들은 그 무엇이든 오로지 글로써 표현해야 한다. '예술파'는 문학이라는 제도와 자신의 관계를 조정하려는 사람들이다. 기존의 모든 표현양식을 부정하고 새로운 표현양식을 생성함으로써 근본적인 사회관계를 변형시킬 수 있는

13) 전집 2, pp.246~247.

다른 차원을 열어 보려는 것이다. 현대시의 부정성에 근거할 때, "적당한 감각적인 현대어를 삽입한 언어의 조탁이나 세련되어 보이는 이미지의 나열과 구성"만으로는 현대시가 될 수 없음은 물론이다.

'예술파'의 경우와는 달리 '참여파'의 경우는 문제가 조금 복잡하다. '예술파'의 경우 글쓰기의 선택은 자신이 글을 쓰기 위한 사회집단을 선택하는 것과 같은 문제가 아니다. 그러나 '참여파'의 글쓰기 선택은 그러한 집단을 선택하는 문제와 겹쳐진다. 여기에서 관점이 분화될 수 있다. "높은 윤리감과 예리한 사회의식에서 소박하고 아름다운 고도한 상징성을 지닌 민중의 시가 태어나려면 우리 시단에서는 아직도 한참 수련의 기간이 필요할 것 같다"는 것이 김수영의 관점이다. '높은 윤리감', '예리한 사회의식', '아름다운 고도의 상징성' 등의 가치들에 대해 '참여파'도 동의는 할 것이다. 그러나 60년대와 그 이후 80년대에 이르기까지 이른바 '민중시'라는 형태를 구축하고자 했던 사람들과 김수영 사이에는 해소되기가 매우 어려운 거리가 있다. 현대성(부정성)의 개념에 근거하여 문학을 생각하는 김수영 역시 '글쓰기' 자체를 하나의 실천으로 보려한다. 「시여, 침을 뱉어라」에서 김수영이 스스로 "참여시의 효용성을 신용하는 사람의 한 사람"이라고 했을 때, 그것은 바로 그러한 관점의 반증이다. 그런데 '참여파'의 경우에도 글쓰기는 당연히 하나의 실천인데, '민중시'와 같은 글쓰기는 각각의 단어에다 미리 가치를 부여하며, 결국 인식이면서 동시에 이데올로기인 하나의 '교리'를 부여할 수 있다.[14] 이를테면 '미국'이나 '권력자'라는 기호는 언제나 이미 부정적인 의미를 나타내고, '민중'이나 '민족' 같은 기호는 무조건 좋은 의미를 나타낼 수 있는 것이다. 그러한 기호들에는 표면적으로 지시되는 것 이외에 그 어떤 다른 의미도 개입될 여지가 없게 될 수 있다. 궁극적으로 언어행위가 새로운 가치들을 형성하지 못하고 이미 다 만들어져 있는 가치들을 그대로 반복하게 될 위험이 발생하는 것이다. 호칭된 것은 이미 판단이 되어 있어서 그 이상의 다른 의견을 개진할 필요가 없으므로 그러한 언어행위는 독단적으로 폐쇄될 수 있다. 사실 '참여파'의 글쓰기에는 언제나 다음과 같은 문제가 개입될 수 있다 : 내가 여러 사람과 함께 서명을 하거나, '나'와 이해관계가 같은 집단의 견해를 표명하는 책을 쓴다면, 그 경우 내가 사용하는 표현양식은 '나'의 표현양식이 아니다. 표면적으로는 '나'의 개성이 발휘되는 것처럼 보일지도 모르나 결국 '나'는 집단 속에 용해되고 만다. '나'는 내가 대변인 역할을 맡고 있는 집단이나 전체의 속성이 되고 마는 것이다. '참여파'와 김수영이 갈라지는 곳이 바로 이 지점일 것이다. '참여파'는 불가피하며 당연하다고 할 것이고, 김수영은 결코 받아들이지 않을 것이기 때문이다.[15]

이상에서 살펴본 것처럼 현대성(부정성)에 대한 파악은 김수영으로 하여금 우리 시단의 '예술파'와 '참여파'가 빠질 수 있는 위험과 한계를 동시에 파악하게 하는 초월적인 지점을 제공해 준다. 그러나 다음

---

14) 여기에서 '참여파'의 글쓰기에 대한 서술은 다음 두 책에 나오는 '맑시스트 글쓰기' (marxist writing)를 참고한 것이다.
Roland Barthes, 앞의 책, pp.22~28.
J. 크리스테바, 유복렬 역, 『반항의 의미와 무의미 : 정신분석의 힘과 한계』, 푸른숲, 1998, pp.432~436.

15) 김수영이 신동엽에게 했다는 다음과 같은 진술은 그러한 판단의 근거가 될 수 있을 것이다 : "신형, 사실 말이지 문학하는 우리들이 궁극적으로 무슨무슨 주의의 노예가 될 수 없는 게 아니겠소?"
전집 별권, p.45.

과 같은 진술들에 근거할 때 김수영이 확보한 그 초월적인 지점이 그렇게 안정된 것만은 아니었다는 사실을 알게 된다.

> 요즘 詩論으로는 졸쥐 바타이유의 「문학의 악」과 모리스 브랑쇼의 「불꽃의 문학」을 일본 번역책으로 읽었는데, 너무 마음에 들어서 읽고 나자마자 즉시 팔아버렸다. 너무 좋은 책은 집에 두어두고 싶지 않다. 집의 書架에는 古本屋에서도 사지 않는 책만 꽂아두면 된다. 이왕 속물근성을 발휘하려면 二流의 책이나 꽂아두라.
>
> (…)
>
> 노상 느끼는 일이지만 배우도 그렇고, 불란서놈들은 멋있는 놈들이다. 영국사람들은 거기에 비하면 촌뜨기다. 바타이유를 보고 새삼스럽게 그것을 느낀다. 그러나 당분간은 영미의 시론을 좀더 연구해 보기로 하자.[16]

블랑쇼(M. Blanchot)의 글쓰기는 오로지 전체적인 부정만을 알고 있다. 텍스트를 구성하는 언어는 작가의 고통이나 불안과는 거리가 먼 것들이다. 그것들을 묘사하는 순간 묘사된 것들은 실제로 내가 겪은 고통이나 불안의 실재와는 다른 어떤 것이 된다. 이는 우리가 '밥'이라는 낱말을 통해 의사를 소통할 수는 있지만 그 낱말을 먹을 수는 없는 것과도 같다. 작가가 구축한 텍스트에서 역설적이게도 '나'가 철저하게 사라진다. 그럼에도 '나'는 글을 쓰는 작가이므로 그렇듯 공허한 글쓰기 자체를 포기할 수 없다. 이제 글을 쓰는 행위는 작가의 경

16) 전집 2, p.295.

험(삶)과는 아무런 관련이 없는 작업이 된다. 작가는 언어의 소리형상과 씌어진 글자의 형상만을 가진 그 자체로 하나의 사물인 언어를 매개로 작업한다. 어쩌면 하나의 사물과도 같은 언어의 두 가지 형상이 글쓰는 작업의 목적 자체일지도 모른다. 텍스트는 구축이 되지만 '나'(작가)의 삶은 없다. 글을 쓰는 동안 나는 내 죽음을 살게 된다. 블랑쇼와는 달리 바타이유(G. Bataille)는 텍스트에 공포와 황홀한 무아경을 구축한다. 기계의 부품처럼 사물화된 일상적 삶 속에는 삶(체험)의 진정함이 결여되어 있다. 일상적 현존이란 기계의 부품처럼 소모되는 것일 뿐이다. 진정한 삶은 죽음 속에만 있지만, 죽음에는 어떠한 삶도 없다. 죽음을 사는 방법은 공포와 황홀한 무아경을 통해 죽음을 흉내내는 것뿐이다. 블랑쇼와 바타이유가 추구하는 글쓰기는 부정적인 삶의 형상에 대한 극단적인 부정을 통해 다른 차원을 열어 보려는 불가능한 시도이다.[17)]

김수영이 파악한 현대성(부정성)의 관점에서 보자면 블랑쇼와 바타이유의 글쓰기는 현대성을 실천하고자 하는 하나의 전형이라 할 수 있다. 그런데 너무 마음에 들어서 읽고 나자마자 팔아버리는 역설적인 행위는 대체 무엇 때문일까. '속물근성'이나 '이류'라는 낱말들이 들어 있는 대목에서 엿보이는 자학의 기미는 또 어떻게 설명해야 할까. 다시 몇 줄 건너에 나오는 문장에서는 다시 부러운 마음을 숨기지 않는다. 그리고 이어서 아직은 '영미의 시론'을 좀더 검토해 보자고 스스로

---

17) 바타이유와 블랑쇼의 글쓰기에 대한 이해는 다음 책 참조.
페터 뷔르거, 김윤상 역, 『지배자의 사유』, 인간사랑, 1996, pp.59~134.

를 타이른다. 그 '영미의 시론' 가운데 김수영이 특히 집중적으로 검토했던 시론은 알렌 테잇(Allen Tate)의 '긴장'(tension)의 시론이다.[18] 그가 테잇의 시론에 호감을 가졌던 데에는 여러 가지 이유와 사정이 있겠는데, 다음 구절들은 그러한 이유 가운데 하나를 잘 보여준다.

> 심금의 교류를 할 수 있는 언어, 오늘날의 우리들이 처해 있는 인간의 형상을 전달하는 의무를 이행할 수 있는 언어, 인간의 장래의 목적을 위해서 선택이 이루어질 수 있는 자유로운 언어 이러한 언어가 없는 사회는 단순한 전달과 노예의 언어밖에는 갖고 있지 않다. 그리고 인간 사회의 진정한 새로운 지식이 담겨있는 언어를 발굴하는 임무를 문학하는 사람들이 이행하지 못하는 나라는 멸망한 나라다.[19]

> (…) 다만 여기서 말하고 싶은 것은 언어의 문화를 주관하는 것이 작가의 임무이며, 그 밖의 문화는 언어의 문화에 따르는 종속적인 것이며, 우리들의 언어가 인간의 정당한 목적을 향해서 전진하는 것을 중단했을 때 우리들에게 경고하는 것이 작가의 임무라는 것이다. 사회인의 목적은 시간을 초월한 사랑을 통해서 적시에 심금을 교류하는 데 있다는 것이다. 그리고 그러한 활동에 지장이 되는 모든 사회는 야만 사회라는 것이다.[20]

---

18) 김수영과 알렌 테잇의 영향관계에 대해서는 다음 논문 참조.
강웅식, 『시, 위대한 거절:현대시의 부정성』, 청동거울, 1997, pp.24~28.
박지영, 「김수영의 초기 시에 끼친 영미 시론의 영향」, 『泮橋語文硏究』 제14집, pp.533~558.

19) 전집 2, p.204.

20) 전집 2, p.206.

위에서 첫번째는 김수영 자신의 문장이고 두 번째는 테잇의 『현대세계의 문인』(The Man of Letters in the Modern World)에 나오는 구절을 김수영이 자유간접화법으로 옮긴 것이다. 첫번째 인용문에 나오는 '문학하는 사람'(문인 : the man of letters)이나 '지식'이라는 낱말 역시 테잇이 즐겨 사용하는 것들이므로 그 문장들 역시 자유간접화법에 의한 것으로 보아도 무방할 듯하다.[21] 아무튼 위의 인용문에서 우리가 다시 확인하게 되는 것은 현대성의 부정성이다. 부르주아 이데올로기의 전면적 지배로 인해 "단순한 전달과 노예의 언어"만이 획일적으로 유통되는 것이 현대의 상황이고, 그러한 상황에 대한 부정이 바로 "인간 사회의 진정한 새로운 지식이 담겨 있는 언어"를 발굴하는 것이다. 그런데 위의 인용문들에서는 현대성의 부정성이 매우 희망적으로 제시되어 있다. 아마도 그런 희망의 분위기는 어떤 경우에라도 낭만적 동경의 분위기가 쉽사리 제거되지 않는 '사랑'이라는 낱말의 어감 때문이기도 할 것이다. '영미의 시론'에 잠재해 있는 그러한 낙관적 정서는 우리가 그보다 앞서 살펴본 프랑스 시론의 경우와 크게 대비된다. "인간 사회의 진정한 새로운 지식이 담겨 있는 언어"를 발굴하는 문제는 새로운 '시적 경험'을 추구하는 것과 같은 문제인데, 그와 같이 '새로운 지식'과 '새로운 시적 경험'은 불가능에 대한 논리, 꿈에 대한 논리, 모순에 대한 논리, 생각할 수 있는 것의 한계에 대한 논리와 연관된 것이어서 그것들을 추구하는 데에는 대단한 어려움이 따르기 마련이다. 영미의 시론이라고 해서 그런 어려움을 안이하게

21) 알렌 테잇은 새로운 '지식'의 충만함(완전함) 그 자체로 파악한다. 다음 책 참조.
이상섭, 『복합성의 시학』, 민음사, 1987, p.105.

받아들인 것은 아니겠지만, 프랑스에서 시도된 '새로운 시적 체험'의 추구는 그 어려움을 더욱 심각하게 받아들인 듯하다. 바타이유와 블랑쇼의 경우에서 보다시피 프랑스에서 이루어진 현대성의 실험은 오직 글쓰기만이 노예 상황에 처한 인간 조건에 대해 이해타산이 개입된 타협 없이 절대적으로 순수하게 항거할 수 있다고 믿는다. 저항의 실천을 글쓰기 내부에 가둠으로써 사회적 실천의 행동 능력을 희생시키지만, 저항의 글쓰기에 의해 구축된 텍스트 내부에 새로운 체험을 발견할 수 있는 힘을 보존함으로써 기존의 세계와는 다른 세계를 꿈꿀 수 있는 능력을 이용하려는 것이다. 따라서 작가나 시인의 텍스트(혹은 언어행위)는 테잇이 말하는 '심금의 교류'나 '전달'에 대한 희망을 포기한다. 그 대신 유통화폐처럼 아무 데나 통용되는 언어가 아닌 절대적으로 순수한 언어로 이루어진 텍스트 안에는 크리스테바가 '역사고'(逆思考, a-pansee)라고 부르는 저항과 반항의 경험이 구축된다.[22] 이와 같은 글쓰기의 텍스트에 내재돼 있는 '부정성'과 '저항'은 그 내부에 깊숙이 은폐된다.

위의 인용문에서 김수영은 '영미 시론'(알렌 테잇)과 '프랑스 시론'(바타이유와 블랑쇼)을 '멋쟁이'라는 판단의 기준으로 파악한다. 이 '멋쟁이'라는 판단 도식은 그 어떤 구속으로부터도 자유롭고자 하는 김수영의 자유주의적 기질을 잘 보여준다. 전달과 교류에 연연하는, 여전히 독자를 의식하는 '영미의 시론'이 촌스럽게 느껴지고, 독자조차

22) 크리스테바가 말하는 '역사고'는 오늘처럼 '부르주아의 이데올로기가 지배하지 않는 언어행위의 장소는 결코 존재하지 않는'(바르트) 상황에서 언어의 물질성 속에서 저항의 진동을 찾으려는 힘든 시도이다.
J. 크리스테바, 앞의 책, p.257.

도 의식하지 않고 오로지 텍스트 공간에서 절대적 자유를 실현하고자 하는 '프랑스 시론'이 멋쟁이로 느껴지는 것은 김수영에게는 지극히 당연한 것이었는지도 모른다. 그처럼 '프랑스 시론'에 매혹되면서도 알렌 테잇으로 대표되는 영미 시론에 한동안 머물러 있었던 것은 그의 정직함과 현실감각을 동시에 보여주는 것이라 할 수 있다. 누구나 동의하다시피 1960년대 한국의 상황은 여러 가지 측면에서 '프랑스적인 현대성'보다는 '영미적인 현대성'을 요청하고 있었기 때문이다.

3. 「반시론」과 변화의 시도

「반시론」은 크게 두 부분으로 구성되어 있다. 전반부는 최근 자신의 생활에서 일어난 변화에 관한 기술이고 후반부는 하이데거의 '릴케론'과 자신의 시 「미인」에 관한 기술이다. 「반시론」의 첫문장은 이렇게 시작된다 : "문학에는 숙명적으로, 정도의 차이는 있지만 곡예사적 일면이 있다". 첫문장에 이어지는 문장들에서 김수영은 '곡예사'라는 낱말을 통해 프랑스 시인 레이몽 크노와 장 콕토를 연상한다. 김수영은 알렌 테잇으로 대표되는 '영미의 시론'을 적극 수용했지만, 다른 한편으로는 프랑스의 문학 경향을 은밀하게 수용했다. 그가 수용한 프랑스 문학의 경향은 푸코의 표현을 빌리자면 '유희적 부정' (ludic denial)이다.[23] 김수영 문학은 현대성(부정성)에 토대를 둔 문학이다. 다시 말해 부르주아 이데올로기의 모든 가치에 대한 전면적인 부정을 문학 행위의 출발점으로 삼는 문학이다. 기존의 문학 양식과 생활 양식이 모두 거부되어야만 '현대성'이 제대로 표현될 수 있다. 김수영의 관점에서 보자면 '부정'의 계기가 작동되지 않는 글쓰기는 새로움을 실천하지 않음으로써 현대성을 저버리는 것이 된다. '새로움'과 '자유'를 동일한 선상에 놓고 보는 김수영 문학의 급진성도 바로 그 점에 근거한 것이다. 그런데 그와 같은 '부정성'의 표현인 글쓰기에는 심각한 난점(難點)이 따른다. 바르트의 지적대로 오늘날 부르주아 이데올로기에 속하지 않는 언어행위의 장소는 전혀 없기 때문이다. 현대성을 목적으로 하는 문학 행위는 언어 행위가 '취향'이나 '쾌락' 혹은 '자연'이나 '진리' 등의 가치를 표현할 수 있다는 사실을 인정하지 않는다. 그러한 표현은 부르주아 이데올로기가 제공하는 목적들(재산, 권력, 사회적 인정, 전체주의적 질서)을 긍정하는 것이기 때문이다. 부르주아 이데올로기에 대한 전면적 부정을 목표로 하지만 그러한 부정이 허용되지 않는 상황에서 현대성의 글쓰기는 글쓰기 그 자체의 폐쇄적 공간을 통해 그러한 가치들에 대한 '유희적 부정'을 보증할 수 있는 것들(추문, 추함, 불쾌, 불가능)을 생산하고자 한다. 김수영이 말하는 '곡예사'는 그와 같은 '유희적 부정'을 자기 행위의 목적으로 삼은 사람들이다. 그의 적절한 비유대로 '유희적 부정'에서 '부정'의 계기가 제대로 작동되면 신이 나지만 자의에서든 타의에서든 '부정'이 억압되어 '유희'만 남게 되면 "무지무지한 자기 혐오를 불러일으

23) M.Foucault, *The Order of Things*, New York : Random House, 1971, p.300.
푸코의 설명은 원래 프랑스 시만을 대상으로 한 것이 아니라 언어의 측면에서 이루어진 문학의 현대성 전반을 대상으로 한 것이다. 그러나 대체로 프랑스 문학의 경향에 근거하여 기술하고 있으며, 특히 '유희적 부정'이 프랑스 문학의 특징적 경향을 잘 보여준다고 판단되어 인용하였다.

킨다".[24] '곡예사'와 연관된 언급 이후에 이어지는 문장들에서 드러나는 것은 자신이 '곡예사'의 역할, 즉 '유희적 부정'을 제대로 수행할 수 없게 된 상황이다.

> (…) 恒産이 恒心이라고, 생활에 과히 불안을 느끼지 않으며 정신의 불필요한 소모가 없어진다. 도시 마음을 쓸 데가 없는 것 같다. 약간의 사치를 하는 것도 싫지 않고, 남이 하는 사치도 자기의 사치보다 더 즐거웁게 생각된다. 하늘은 둥글고 땅도 둥글고 사람도 둥글고 역사도 둥글고 돈도 둥글다. 그리고 시까지도 둥글다.[25]

"시까지도 둥글다". 시에서 '부정'의 계기가 사라진다. 현대성의 관점에서 보자면 이는 심각한 위기 상황이다. 위의 인용문에 이어지는 문장들에서는 김수영에게 닥친 그런 위기상황이 부연된다. 그 무렵 김수영은 「라디오界」(1967. 12. 5)라는 작품을 써서 발표한다. 라디오의 주파수를 고르다가, 금지된 '이북 방송'의 주파수를 가리키는 지점을 지나치는 순간 흘러나온 '이북 방송'을 들은 것이 창작 동기가 된 작품이다. 김수영 스스로도 확인하고 있듯이 그 작품은 당시로서는 '이 땅에서는 발표할 수 없는 것'이다. 그런데 문제는 "그 전에는 이런 발표할 수 없는 작품을 쓰게 되면 화가 나고 분하면서도 오히려 흐뭇한 감마저 느꼈는데, 요즘에 와선 그런 자존심도 없어졌다"는 데 있다. 더 나아가 "오히려 발표될 수 없어서 잘 되었다는 안도감까지

24) 전집 2, p.255.
25) 전집 2, p.255.

도 든다"는 것이다. 더 큰 문제는 그 정도에서 그치지 않는다는 데 있다. 어떤 신문의 칼럼에 보낸, 2백자 원고지 다섯 장 분량의 원고 가운데 무려 "4, 5군데"가 고쳐졌다. 수정하기로 협상을 하고 나서 보관용 스크랩의 내용은 초고대로 고쳐 놓으려 했으나 "원상대로 정정할 기운이 나지 않"았을 뿐만 아니라 "오히려 수정을 해준 대목이 초고보다 더 낫게 보이기까지" 했다는 것이다. 현대성의 추구에서 생명과 같다고 할 수 있는 '부정'의 계기가 완전히 실종되고 만 것이다. 이러한 상황에서 김수영이 선택할 수 있는 방향은 크게 두 가지이다. 하나는 '둥근 시'를 받아들이는 것, 그의 표현대로 "부르좌의 손색 없는 시"를 쓰면서도 회의하지 않는 것이다. 다른 하나는 시쓰기에서 다시 '부정'의 계기를 작동시키려고 노력하는 것이다. 그러나 김수영은 그 두 가지 가운데 어느 하나도 선택하지 않고 그만의 다른 길을 모색했다. 그 모색에 필요했던 것, 혹은 그런 모색을 가능하게 했던 것이 바로 하이데거의 '릴케론'이었다. 내가 「반시론」과 「시여 침을 뱉어라 : 힘으로서의 시의 존재」를 김수영의 전향 선언이라고 보는 이유가 바로 여기에 있다.

자신의 글쓰기에서 '부정'의 계기가 억압되었을 때를 김수영은 '지일'(至日)로 삼는다 : "지일에는 겨울이면 죽을 쑤어 먹듯이 나는 술을 마시고 창녀를 산다. 아니면 어머니가 계신 농장으로 나간다".[26] 「반시론」에서 이 대목은 여러 가지로 설명이 요청되는 부분이다. 사실 이 대목은 김수영 문학과 연관된 논의에서 이제까지 구체적으로 언급

26) 전집 2, p.257.

된 적이 없는 김수영과 초현실주의의 은밀한 영향관계를 보여주는 부분이다. 여기에서 '탕아', '창녀', '포옹의 매력', '도시의 산책', '외경에 찬 자연의 신비감' 등과 같은 이미지들은 바로 '초현실주의'의 흔적을 넌지시 알려 주는 지표들이다. 현대에 대한 부정에 토대를 둔 프랑스의 초현실주의 역시 계산적이고 실용적인 합리성, 조작된 이성의 모든 논리, 이미 존재하거나 이미 만들어진 시학, 자유로운 상상에 제동을 거는 시학에 대한 거절과 반항을 출발점으로 삼는다. 그리고 그런 거절과 반항이 초현실주의의 '꿈'으로 나타난다. 초현실주의 부류는 크게 두 가지 상반된 방향으로 요약된다. 하나는 앙드레 브르통으로 대표되는 신비학(occultisme)의 방향이고, 다른 하나는 에로틱한 방향이다. 두 번째 부류에 속한 초현실주의자들은 우리도 알다시피 언제나 끔찍하고 선동적이며 혹은 부르주아 계급을 경악하게 만드는 '에로틱한 문학적 사건들'(이른바 '스캔들')을 추구한다. 루이 아라공이 1924년에 쓴 『방탕』(Le Libertinage)의 첫번째 서문에 나오는 '나는 스캔들 외에 다른 것을 추구한 적이 없다'라는 문장은 두 번째 부류에 속한 초현실주의자들의 경향을 잘 보여준다. 초현실주의자들은 그처럼 엄청난 파문을 불러일으키는 성적 충동 안에서 환희를 추구한다. 그러한 환희에 대한 열정적 추구는 모두 부르주아적 인간 관계나 결혼, 모든 순응주의적 가치에 대한 부정을 표현하기 위한 것임은 물론이다. 초현실주의자들에게 '스캔들'이란 기성의 부르주아적 가치를 전면적으로 거부하는 삶의 양식과 글쓰기의 양식을 결합한 하나의 실천이다. 초현실주의자들이 '스캔들' 이외에 열정적으로 추구하고자 하는 것은 현대적인 도회풍의 발견이다. '환상적인 것' 혹은 '예기치 못한 것'에 대한 열정적인 추구와 도시 공간 구석구석에서 경이로운 의미를 발견해내고자 하는 욕망을 담은 '도시에서의 산책'이 바로 그것이다. 초현실주의자들은 그러한 방법들을 통해 신비와 무한성과 환희와 의미의 착란을 유지하면서 '보편화' · '이상화' · '고정화된 전형' 등을 거부하고자 한다. 그리고 궁극적으로는 음울한 현실로 돌아와 거기에 새로운 의미를 부여하고자 한다. 이상과 같은 초현실주의의 에로티시즘과 비교할 때 김수영의 에로티시즘은 우리의 전통적인 문화의 압력 때문에 다분히 굴절되고 변형된 것이다.

(…) 창녀와 자는 날은 그 이튿날 새벽에 사람 없는 고요한 거리를 걸어 나오는 맛이 희한하고, 계집보다도 새벽의 산책이 몇백 배나 더 좋다.

(…)

이것은 탕아만이 아는 기분이다. 한 계집을 정복한 마음은 만 계집을 굴복시킨 마음이다. 자본주의의 사회에서는 거리에서 여자를 빼놓으면 아무 것도 볼 게 없다. 머리가 훨씬 단순해지고 성스러워지기까지도 한다. 커피를 마시고 싶은 것도, 해장을 하고 싶은 것도 연기하고 발 내키는 대로 한적한 골목을 찾아 헤맨다. 이럴 때 등교길에 나온 여학생 아이들을 만나면 부끄러울 것 같지만, 천만에! 오히려 이런 때가 그들을 가장 있는 그대로 순결하게 바라볼 수 있는 순간이다. 격의 없이 애정으로 바라볼 수 있는 순간. 때묻지 않은 순간. 가식 없는 순간.[27]

---

27) 전집 2, p.257.

위의 인용문에서 여학생을 만난 장면에 대한 서술은 김수영 스스로의 검열에 따른 것이라 판단된다. 사실 그 부분이 빠져 있다면 우리의 전통적인 문화 풍토에서 '탕아의 산책'은 독자들에게 심한 거부감을 불러일으켰을 것이고 그 자체로 '스캔들'이 되었을지도 모른다. 결국 김수영 스스로 초현실주의적 일탈의 공격성을 완화시킨 것이라 볼 수 있다. 시와 연관된 거의 모든 논의에서 김수영이 알렌 테잇의 '긴장의 시론'과 자신의 시론과의 영향관계만 노출하고 초현실주의와의 관계를 은폐한 것도 전통적인 문화풍토의 압력 때문이었을 것이다.

이제까지 우리는 자신의 시쓰기에서 '부정'의 계기가 억압되었을 때 그런 억압에 대한 분노를 푸는 김수영의 두 가지 방법 가운데 한 가지를 검토하였다. 그것은 술을 마시고 창녀를 사는 방법이었다. 그런데 김수영은 나이가 들면서 그 방법마저 줄어들고 있으며 그 이유가 생활이 안정된 탓에 있을 거라고 고백한다.

> 여유가 생기니까 이상하게도 여유가 없을 때보다도 덜 가지고 매력도 없어진다. 포옹의 매력도 그렇고 산책의 매력도 그렇다. 여유가 생기면 둔해진단 말이 맞는다. 그리고 둔해지는 것도 좋다는 생각이 들고 둔해지는 것을 좋다고 생각하는 것도 좋다는 생각이 들고, 자꾸 이런 식으로 무한대로 좋다는 생각이 드니 할 수 없다.[28]

김수영에게 또 하나의 탈출구는 "노모를 모시고 돼지를 기르고 있

28) 전집 2, p.257.

는 동생이 있는 농장으로 나가 보는 일이다". 김수영에게 동생의 농장은 "자연으로 문을 열어주는 유일한 성당이다". 우선 '성당'이라는 낱말에서 포착되는 종교적인 색채가 주목을 끄는데, 여기서 김수영이 말하는 자연은 "노상 바쁘고, 노상 소란하고, 노상 실패의 계속이고, 한시도 마음을 놓을 틈이 없"는 그런 것이다. 김상환이 지적한 김수영의 '역경주의'(力耕主義)가 확인되는 부분이다. 김수영은 두 번째 탈출구인 자연을 배경으로 동생의 노동('부삽질')과 자신의 노동(시쓰기)을 견주어 본다.

「性」이라는 작품은 아내와 그 일을 하고 난 이튿날 그것에 대해서 쓴 것인데 성묘사를 주제로 한 작품으로는 처음이다. 이 작품을 쓰고 나서 도봉산 밑의 농장에 가서 부삽을 쥐어 보았다. 먼첨에는 부삽을 쥔 손이 약간 섬찍했지만 부끄럽지는 않았다. 부끄럽지는 않다는 확신을 가지면서 나는 더욱더 날쌔게 부삽질을 할 수 있었다.

여기서 우리는 "부끄럽지는 않다"는 표현에 주목할 필요가 있다. 이 표현에 이르기까지 김수영은 줄곧 '부끄럽다'는 자의식을 표명해왔다. 그 부끄러움의 이유는 자신의 시쓰기에서 그리고 생각에서 '부정'의 계기가 작동되지 않는다는 데 있었다. 김수영 문학의 핵심은 현대성(부정성)에 있다. 부정의 대상은 부르주아의 가치와 질서이다. '부정'의 계기가 작동하지 않은 시를 '부르좌의 손색 없는' 시 혹은 '쁘띠부르적'인 시라고 자조하는 대목에서도 그가 얼마나 그와 같은 부정성에 몰두해 있는가 하는 점을 확인할 수 있다. 「반시론」의 전반부에서 김수영이 반복해서 고백하는 것은 '부정'의 계기를 감당하기가 힘들어졌을 뿐만 아니라 심지어 불편해졌다는 것이었다. 그렇다면 "부끄럽지 않다"는 표현에 이르러 그가 확인하게 된 것은 '부정'의 계기가 작동하지 않는 시를 쓰면서도 부끄럽지 않을 수 있는 어떤 근거를 발견했다는 의미일까? 위에 인용한 문장들에 이어 김수영은 세 가지 서로 다른 유형의 '세계'에 대해 언급한다. 내가 보기에 그 '세계'는 하이데거의 영향이 확인되는 낱말이지만, 여기서는 '나름의 독자적인 영역' 정도로 이해해도 무방할 듯하다. 아무튼 세 가지 서로 다른 유형의 세계는 '자연'이라는 "외경에 찬 세계", 자신의 동생(농부)이 속해 있는 "부삽의 세계", 그리고 자신과 같은 정신의 농부가 속할 수 있는 '시의 세계'이다. 김수영은 다른 두 '세계'에 자신의 '세계'가 "그다지 압도당하지 않을 만한 자신을 갖는다"고 말한다. 이제 김수영이 고백하고 있는 '전향'의 성격을 파악하고 평가하기 위해서는 그 '세계'의 의미를 검토해야 한다. 그러기 위해서는 「반시론」의 후반부와 「시여 침을 뱉어라 : 힘으로서의 시의 존재」가 함께 논의되어야만 한다.

4. 하이데거의 '릴케론'

「반시론」에서 반복되는 낱말 가운데 특별히 눈에 띄는 것이 있다. 그것은 바로 '여유'인데 무려 열 번이나 나온다. '시'가 스물 세 번 나오고 '문학'이 세 번 그리고 '자유'가 단 한 번만 나오는 것만 보아도

열 번이나 되는 '여유'의 등장 횟수는 충분히 눈여겨볼 만한 것이다.

① (…) 생활이 안정된 탓일 거라. '여유'가 생기니까 이상하게도 '여유'가 없을 때보다 덜 가지고 매력도 없어진다. 포옹의 매력도 그렇고 산책의 매력도 그렇다. '여유'가 생기면 둔해진단 말이 맞는다.

② 이들은 입에 손을 대고 지나가기는 하지만 별로 불쾌한 얼굴도 하지 않는다. 불쾌한 얼굴을 지을 만한 '여유'가 없는지도 무른다.

③ 여기의 자연은 바라보는 자연이 아니라 싸우는 자연이 돼서 더 건실하고 성스럽다. 아니 진실하니, 성스러우니 하고 말할 '여유'조차도 없다.

④ (…) 이렇게 내 개인의 집안이야기를 서슴지 않고 쓸 만큼 된 것도 '여유'가 생겼다면 '여유'가 생긴 것이고 불순해졌다면 그만큼 불순해진 것이다.

⑤ 정신에 '여유'가 생기면, 정신에 살이 찌면 목의 심줄에 경화증이 생긴다.

⑥ '여유' 위에 '여유'를 넓히려고 활짝 열어놓은 마음의 창문에 때 아닌 훈기가 불어 들어온 셈이다.

①에서 '여유'가 뜻하는 것은 경제적이고 물질적인 것이고, 그 밖의 것들에서 뜻하는 것은 정신적인 것이다. ①과 ④와 ⑤에서 '여유'는 부정적인 느낌이 강하고, ②와 ③에서는 부정적인 느낌은 없고, ⑥에서는 긍정적인 느낌이 강하다. 「반시론」의 전반부에서 김수영은 '여유'와 그로 인해 발생한 여러 가지 사태들에 대해 '부끄럽다'고 고백했었다. ⑥은 자신의 시 「미인」과 연관된 문장들의 일부인데, 이상하

게도 여기서는 '부끄러움'의 자의식을 전혀 찾아볼 수 없다. 우리가 이미 앞에서 살펴보았듯이 '여유'에 대한 부끄러움의 자의식이 해소된 것은 정신의 농부인 자신의 '세계'(문학, 시, 작품)가 진짜 농부의 '세계'나 자연의 '세계'와 견주어 압도당하지 않을 만한 것이라는 자신감 때문이다. 그렇다면 그런 자신감의 근거는 무엇인가? "일역판을 거의 안 보고 외울 만큼 샅샅이 진단해보았다"는 하이데거의 '릴케론'에서 김수영은 그런 자신감의 근거를 찾은 것일까? 그러나 「반시론」에는 하이데거의 문장이 단 한 군데도 보이지 않는다. 김수영이 인용하고 있는 것은 하이데거도 그 논문에서 인용한 릴케의 시(「오르페우스에 바치는 송가」)와 요한 고트프리트 헤르더(Johann Gottfried Herder)의 문장(『인류사의 철학에 관한 이념』 : *Ideen zur Philosophie der Geschichte der Menschheit*)이다. 김수영의 진술들만을 놓고 본다면 우리는 그가 하이데거에게서 무엇을 배웠는지 전혀 알 수 없다. 사실 「시여 침을 뱉어라 : 힘으로서의 시의 존재」에서도 하이데거와 연관된 부분은 '모험'과 '노래'라는 낱말, '대지의 은폐'와 '세계의 개진'이라는 구절, 그리고 '세계와 대지의 양극의 긴장'이라는 구절 정도이다. '모험'과 '노래'는 김수영이 '릴케론'이라고 부른 하이데거의 논문 「시인은 무엇을 위하여?」(Wozu Dichter?)에 나오는 것들이고 그 밖의 다른 구절들은 하이데거의 논문 「예술작품의 근원」(Der Ursprung des Kunstwerkes)에 나오는 것들이다. '세계의 개진'과 '대지의 은폐'라는 구절은 그 맥락을 이해하지 않고서는 자기 문장에서 함부로 쓸 수 없는 것들이다. 김수영이 과연 그 맥락의 의미를 얼마나 이해했는지는 더 따져보아야 할 문제인데, 적어도 그가 「예술작품의 근원」은 읽었다는 사실만큼은 분명한 듯하다. 비록 하이데거의 원래 문장에는 '투쟁'(Streit)이라고 되어 있는 것을 알렌 테잇의 용어인 '긴장'(tension)으로 바꾸어 놓긴 했지만, 하이데거의 원래 문장에서 '투쟁'의 의미를 어느 정도 이해하지 않고서는 그런 식의 전용이 사실상 불가능하기 때문이다.[29] 이러한 일련의 사실을 검토해 보아도 하이데거의 철학(혹은 예술론)에 대한 김수영의 이해가 어느 정도 수준에서 이루어진 것인지는 여전히 의문으로 남는다. 김수영과 하이데거의 영향관계를 검토하는 작업은 매우 위험하고, 그렇기 때문에 매우 조심스럽게 수행되어야만 한다. 아무튼 여기서 우리가 파악하고자 하는 것은 '여유'와 연관된 문제이다. 이 문제와 관련하여 우리는 김수영의 다른 글에서 해결의 실마리를 찾을 수 있다.

> 우리 집에는 올 겨울에 처음으로 마루에 난로를 놓았고, 몇십 년 만에 처음으로 나는 무명 조선바지를 해 입었고, 조그만 통의 커피도 한 병 마련해 놓았다. 이만한 여유를 부끄럽게 여기는 否定의 잔재가 남아있는 것은 나의 경우에는 너무나 당연한 일이다. 그러나 이 모순의 고민을 시간에 대한 해석으로 해결해 보는 것도 순간이나마 재미있는 일이라고 생각된다. 이런 여유가 고민으로 생각되는 것은 우리들이 이것을 '고정된' 사실로 보기 때문이다. 이것을 흘러가는 순간에서 포착할 때 이것은 고민이 아니다. 모든 사물을 외부에서 보지 말고 내부로부터 볼 때, 모든 사태는 행동이 되고,

---

29) '긴장'이라는 낱말이 원래는 '투쟁'이라는 사실에 대해서는 다음 책 참조.
M. 하이데거, 오병남 · 민형원 공역, 『예술작품의 근원』, 예전사, 1996, p.58.
M. 하이데거, *Holzwege*, Frankfurt : Vittorio Klostermann, 1950, p.34.

내가 되고, 기쁨이 된다. 모든 사물과 현상을 씨 — 동기 — 로부터 본다 이것이 새봄의 담배 갑에 적은 새 메모다.[30]

위의 인용문은 「생활의 극복」(1966. 4)이라는 글에 나온다. 「생활의 극복」은 「반시론」(1968)이 씌어진 시점보다 두 해 정도 앞선 시점에서 씌어진 글이다. 두 해라는 시간상의 거리에도 불구하고 「생활의 극복」은 「반시론」에서 김수영이 장황하게 펼치고 있는 부끄러운 자의식을 선취하고 있다. 더욱 흥미로운 것은 김수영이 그 글에서 이미 그와 같은 자의식을 극복하고 있다는 점이다. 보다시피 위의 인용문에서 주목되는 부분은 '여유'라는 낱말과 "모든 사물과 현상을 씨 동기 로부터 본다"라는 구절이다. 김수영은 위의 인용문 바로 앞에 나오는 단락에서는 "나는 사랑을 배우기 시작하는 단계에 있다. 그를 진정으로 사랑하려면 그와 나 사이에 가로놓여 있는 무서운 장해물부터 우선 없애야 한다. 그 장해물은 무엇인가. (…) 욕심이다. 이 욕심을 없앨 때 내 시에도 進境이 있을 것이다"라고 말하는가 하면, "마음의 여유는 육신의 여유다. 욕심을 제거하려는 연습은 긍정의 연습이다"라고 말하기도 한다. 김수영의 진술들을 고려할 때, 결국 "모든 사물과 현상을 씨 동기 로부터 본다"는 것은 '긍정의 연습'임을 알 수 있다. 사물이나 현상은 언제나 시간의 과정 속에 놓여 있다. 그것은 고정된 것이 아니라 과정 속에서 변화하는 것이다. 어떤 시점에서는 그것이 비록 부정적인 외양을 취하더라도 그러한 부정성은 고정된 것이 아니

30) 전집 2, p.61.

다. 모든 사물과 현상을 그 동기로부터 보려고 하는 김수영의 노력은, 한 시점에서는 부정적인 외양 이면에 감추어져 있더라도 변화하는 시간의 과정 속에서 부정적인 외양을 벗어 던짐으로써 새로운 도약이나 생성으로 전환될 수 있는 본질적 가능성을 뚫어 보려는 시도일 것이다. 누군가를 진정으로 사랑하려면 그와 나 사이에 가로놓여 있는 장해로서의 '욕심'을 우선 없애야 한다는 김수영의 진술은, 욕심이 대상의 본질을 꿰뚫어 보려는 노력을 방해한다는 점에 대한 자각에서 비롯한 듯하다. '욕심'은 자아의 내부에서 들끓는 도발적 요청이다. 그것은 욕심의 주체와 객체 모두를 안달하며 재촉한다. 안달하면서 재촉하는 것은 사물과 현상의 동기나 그것이 이루어지는 과정을 돌보지 않고 어떤 결과에만 집착하게 한다. '욕심'은 아직 이루어지는 않았지만 어떤 것의 본성 속에 잠재해 있는 가능성의 '씨'를 인정하지 않는다. 과정을 돌보지 않고 결과만을 집착하는 '욕심'은 자신의 도발적 요청에 부응하지 않는 결과를 부정할 뿐만 아니라 과정을 부정하고 애초의 본질적 가능성마저 부정한다. '욕심'의 그와 같은 속성과 관련하여 김수영은 "욕심을 제거하려는 연습은 긍정의 연습이다"라고 말한다.

「생활의 극복」에 나오는 구절을 검토하면서 우리는 한 가지 의문을 가지게 된다. 그것은 이미 두 해 전에 쓴 글에서 "이만한 여유를 부끄럽게 여기는 否定의 잔재"에 대해 나름으로 충분히 해결해 놓고도 어째서 다시 「반시론」에서 그 문제를 다시 거론하고 있는가 하는 점이다. 이는 아마도 "이 욕심을 없앨 때 내 시에도 進境이 있을 것이다"라는 진술과 연관된 듯하다. 실제로 김수영은 「반시론」에서 그 진술과 거의 유사한 취지의 진술을 하고 있다.

> 아무리 해도, 자기의 몸을 자기가 못 보듯이, 자기의 시는 자기가 모른다. 다만 초연할 수 있다. 너그럽게 보는 것은 과신과도 다르고 자학과도 다르다. 그렇게 너그럽게 자기의 시를 보고 세상을 보는 것도 좋다. 이런 너그러움은 시를 못 쓰는 한이 있어도 지켜야 할 것인지도 모른다. 아니, 바로 새로운 시를 개척해나가는 무한한 보고(寶庫)가 거기에 있을 것이다.[31]

여기서 우리는 한 가지 추론을 할 수 있게 된다. 「반시론」을 쓰기 이미 두 해 전에 김수영은 생활의 경제적 여유와 함께 대상에 대한 시각을 '부정'에서 '긍정'으로 전환하는 '회심'(回心) 연습을 하고 있었고, 「반시론」에 이르러 시에서도 역시 그런 회심을 적용하게 된 듯하다. 그리고 그러한 적용의 근거는 하이데거의 논문 「시인은 무엇을 위하여?」이고, 김수영 자신의 작품 「미인」이다. 김수영은 「미인」에 나오는 "무심코/따놓은 방문이나 창문이/담배연기만 내보내려는 것은/아니렷다"에서 '담배연기'를 릴케의 오르페우스에게 바치는 소네트」 제3장에 나오는 "바라는 것 없는 숨결. 신 안에서의 나부낌. 한줄기 바람."과 연결시킨다. 김수영이 그토록 불편해했던 '여유'에 대한 부정을 긍정으로 바꿀 수 있게 해준 근거를 파악하기 위해서는 "한줄기 바람"의 의미를 이해해야 할 것이다.

---

31) 전집 2, p.260.

노래는, 그대가 가르쳐주듯, 욕망이 아니요,
결국 얻게 되는 것을 위한 구애도 아니다;
노래는 현존재. 그 신에게는 쉬운 일.
그러나 우리는 언제나 존재하려는가? 그리고 신은 언제나

대지와 별들을 우리의 존재로 돌려놓으려나?

그것은 아니다, 젊은이여, 그대가 사랑하여, 비록
그대의 목소리가 입 밖으로 터져 나온다 해도, —배워라.

잊도록, 그대가 노래를 시작한다는 사실을. 그것은 흘러가 버린다.
진실 속에서 노래하기란 다른 숨결이다.
바라는 것 없는 숨결. 신 안에서의 나부낌. 한 줄기 바람.[32]

자신의 논문에서 하이데거가 위에 인용된 구절 모두를 해설하고 있는 것은 아니다. 하이데거가 집중적으로 해명하는 것은 릴케의 다른 작품이다. 위 작품의 경우는 논문의 말미에서 "노래는 현존재"와 "그러나 우리는 언제나 존재하려는가?"라는 구절 그리고 끝 두 행에 대해 언급하고 있다. 김수영이 릴케의 시와 헤르더의 문장들만을 인용하고 하이데거의 문장을 하나도 인용하지 않은 것은 불가피한 선택이었다고 판단된다. 그 논문에서 하이데거는 릴케의 시에 나오는 핵심

---

32) 릴케, 안문영 역, 『두이노의 비가—오르페우스에게 바치는 소네트』, 문학과지성사, 1991, pp.73~74.

시어들을 자신의 철학 용어들로 번역하면서 해설하고 있는데, 그러한 해설을 소개하려면 하이데거의 철학 자체에 대한 복잡한 해설이 불가피하게 수반되어야 하기 때문이다. 실제로 그렇게 하고자 할 경우 하이데거의 논문 분량보다 더 긴 분량의 해설을 붙여야 될지도 모른다. 우리라고 해서 김수영의 처지보다 더 유리한 지점에 있는 것은 아니다. 그러나 김수영이 "한 줄기 바람"에 대해 언급하고 있으므로 그것을 이해할 수 있을 만큼은 하이데거의 설명을 따라가 볼 필요가 있다.[33] '시인은 무엇을 위하여?'라는 제목이 시사하다시피 하이데거의 논문은 릴케의 시를 통하여 시인의 사명에 대해 고찰한다. 시인은 노래를 부르는 사람이다. 노래는 시인이 언어를 매개로 하여 수행하는 모험이다. 모험은 위험을 무릅쓰고 이제까지 결코 있어본 적이 없는 존재의 심연 혹은 중심에 이르려는 노력이다. 모험은 인간의 근원적인 의욕이다. 그러나 인간은 근대에 이르러 존재하는 모든 것들을 기술을 매개로 하여 단순한 대상으로, 더 나아가 시장의 상품으로 만든다. 기술을 매개로 한 근대인의 모험은 스스로를 위험에 빠지게 한다. 온전한 자연(vollen Natur)은 하나의 둥근 공과도 같은 것인데, 근대인은 둥근 공 가운데서 눈에 보이는 면만을 본다. 눈앞에 가져다 놓을 수 있는 것들과 눈에 보이는 것들만을 구체적인 대상으로 긍정하고, 엄연히 존재하나 눈앞에 가져다 놓을 수 없고 눈에 보이지 않는 것은 부정한다. 온전한 존재의 충만함 가운데서 가시적인 측면인 삶만이

---

33) 본문에서 하이데거의 논문에 관한 요약 설명은 소광희 교수의 번역서를 주 텍스트로 하고 몇 가지 용어를 원전과 대조하였다.
M. 하이데거, 소광희 역, 『시와 철학』, 박영사, 1972, pp.217~313.
M. 하이데거, *Holzwege*, Frankfurt : Vittorio Klostermann, 1950, pp.265~316.

긍정되고 불가시적인 측면인 죽음은 전적으로 부정된다. 기술을 매개로 한 근대인의 모험은 부단히 죽음을 부정하는 과정이다. 근대인의 모험은 사물의 온전한 전체 존재를 망각하고 모든 사물들에게서 자신의 이기심과 욕망에 부합하는 것만 대상으로 고정시키고 이용하려 든다. 인간이 이용할 수 있는 측면만으로 사물을 고정시켜 대상으로 만드는 사고는 인간 자신도 사물처럼 다룬다. 사물에 가하는 폭력은 인간 자신에 가하는 폭력이 된다. 스스로를 위험에 빠지게 하는 근대인의 모험과는 다른 모험으로 이끄는 것은 '다른 숨결'(andere Hauch)이다. 시인의 모험은 '한 호흡의 숨결만큼 더 모험적'(um einen Hauch wagender)이다. 시인은 언어를 통하여 '한 호흡의 숨결만큼 더' 모험한다. 언어를 통해 이루어지는 시인의 모험은 노래이다. 노래는 여전히 의욕에 넘치면서도 모든 이기심과 욕망을 벗어버린 모험이다. 그것은 더 이상 개별적인 대상을 찾아 헤매지 않는, 아무것도 구하지 않는 숨결이다. 아무것도 구하지 않는 숨결은 자연의 모든 존재를 긍정한다. 하이데거에게 긍정은 이중의 부정에 의해 이루어지는 이른바 '부정의 부정'에 의한 긍정이 아니다. 원래부터 있는 것을 처음부터 그 자체로서 긍정하는 것이 하이데거의 긍정이다. 시인의 노래는 온전한(충만한) 자연으로, 이제까지 한 번도 있어본 적이 없는 중심으로 이끄는 '바람의 견인'(Zug des Windes)에 의해 이끌린다. 노래 자체가 바로 그런 '한 줄기 바람'(Ein Wind)이다.

5. 맺음말

시인의 사명과 연관된 하이데거의 주장에서 김수영이 무엇을 어떻게 받아들였는지에 대해서는 그 어떠한 것도 확실하게 단언할 수 없다. 그러나 「반시론」이 김수영의 전향 선언일 수 있다는 가설에 의해 그 글을 검토해온 우리의 관점에서 볼 때, 김수영이 가장 인상깊게 보았던 것은 바로 하이데거의 '긍정'이었을 것이라고 추론해 볼 수 있다. 김수영은 과연 하이데거의 '긍정'에서 자신의 전향과 연관된 어떤 근거를 발견한 것일까? 아마도 그랬던 것 같다. 그러나 전면적인 수용에 이르지는 않았던 것 같다. 김수영 스스로 이렇게 말하기 때문이다 : "여기서도 빠져나갈 구멍은 있을 텐데 아직은 오리무중이다. 그러나 뚫고 나가고 난 뒤보다도 뚫고 나가기 전이 더 아슬아슬하고 재미있다".[34]

「반시론」과 「시여, 침을 뱉어라」에는 하이데거와 만나기 이전에 김수영을 지탱하고 있었던 예술관(세계관)과 하이데거의 예술관(세계관) 사이에서 발생하는 '긴장'이 잠재되어 있다. 「시여, 침을 뱉어라」에서 김수영은 하이데거의 예술론을 통해 발견한 것을 매우 조심스럽게 이끌어들인다. 그는 하이데거의 예술론을 전면적으로 수용하지 않는다. 알렌 테잇과 정신적 대화를 통해 구축한 '긴장의 시론'에 근거해서 면밀하게 하이데거를 검토한다. 「반시론」만을 놓고 보더라도 우리는 그러한 사실을 충분히 확인할 수 있다. 「반시론」에서 김수영은 "이 작품

34) 전집 2, p.260.

(「미인」 필자)을 쓰고 나서, 나는 노상 그러하듯이 조용히 運算을 해본다"고 하고, 또 다른 부분에서는 "작품이 선두다. 詩라는 선취자가 없으면 그 뒤의 사색의 행렬이 따르지 않는다. 그러니까 어떤 고생을 하든지 간에 시가 나와야 한다"라고 말한다.[35] 김수영의 진술은 알렌 테잇과의 영향관계에서 파악될 수 있다.

> 시인은 먼저 자기 시를 쓰는 것이 좋다. 그 다음엔 그것을 살펴보고(examine) 그리고는 자기가 무엇을 생각하는지를 확인하는(decide) 것이다. 시는 그가 생각하는 것을 다 드러내지 않을 수 있다. 그러나 그것은 시 자체에 유효한 것은 전부 드러낼 것이다. 시는 생각에 대한 시험(test)이다.[36]

1966년 무렵에 김수영은 "이 시에서도 그 밖의 시에서도 나는 알렌 테이트의 시론을 충실히 지키고 있다"고 고백하였다. 위의 인용문은 김수영이 어째서 테잇의 시론을 '검증의 시론' 혹은 '수동성의 시론'이라고 하는지 그 이유를 알 수 있게 해주는 대목이다. 김수영은 자신의 작품을 검증하기 위해 테잇의 시론에 충실히 따르면서도 그것의 결여 부분을 파악하고 있었다 : "진위를 밝히는 도구로서는 우선 편리하지만 위대성 여부를 자극하는 발동기의 역할은 못한다. 이것이 시론의 숙명이다. 이런 때는 시를 읽는 게 최상이다".[37] 아마도 그

35) 전집 2, p.259, 261.
36) Allen Tate, *Assays of Four Decades*, Chicago : The Swallow Press, 1968, p.613. 본문의 인용은 다음 책에서 재인용. 이상섭, 『복합성의 시학』, 민음사, 1987, p.94.
37) 전집 2, p.303.

'시'가 바로 릴케의 작품들이었을 것이다. 어쩌면 하이데거의 「시인은 무엇을 위하여?」를 읽으면서 김수영이 자극을 받은 것은 릴케의 시에 대한 하이데거의 해설 그 자체가 아니었는지도 모른다. 김수영은 그 논문을 통해 새로운 철학적 사유가 작품의 깊이를 밝혀 내는 것이 아니라 작품의 깊이가 오히려 새로운 철학적 사유를 생성하게 한 것일 수도 있다고 생각하게 된 듯하다.

1966년을 전후한 시점부터 우연한 사고에 따른 죽음의 시점인 1968년에 이르기까지 김수영은 어떤 변화를 모색하고 있었음이 확인된다. 「반시론」의 검토에서도 드러났듯이 그런 변화는 시작(詩作)에서 '긍정'의 계기와 연관된 문제인 것으로 보인다. 그러나 우리는 그러한 '긍정'의 계기를 통하여 시작에서 이루어지는 변화가 구체적으로 무엇인가에 대해서는 파악하지 못하였다. 아마도 그 문제는 김수영이 하이데거를 만나기 이전의 문제틀과 만난 이후의 문제틀을 조심스럽게 변증(辨證)하면서 「시여, 침을 뱉어라」를 검토해야만 해결될 수 있을 것이다. 「시여, 침을 뱉어라」에 대한 검토는 다음 기회로 미룬다.

주체의 자기 형성과 윤리의 미학화

— 김수영의 '온몸시론'에 대하여

1. '온몸시론'의 모호함

시인은 결코 말하고자 하는 바를 직접 말할 수는 없다. 그는 단지 형상화의 과정과 결과를 통해서, 다시 말해 작품 자체를 통해서 말할 뿐이다. 시인의 시론이란 직접적인 말하기이다. 시인이 자신의 시짓기에서 의도한 어떤 전략을 아무리 정교하게 구축해 놓는다고 해도 그것 자체가 그의 작품을 해석하고 평가하는 데 본질적인 규준이 될 수는 없다. 한 시인의 시론과 그의 작품 사이의 이러한 관계는 어떤 작품의 의도가 작품의 사상내용이나 의미 그 자체가 될 수 없는 것과도 같다. 의도가 아무리 잘 마련된 작품이라 하더라도 그것이 작품의 형상화 과정에서 그대로 실현되리라는 보장은 거의 없다. 그러나 의도는 하나의 역동적 전체로서 완성된 작품 전체의 짜임관계에서 하나의 계기로서 나름의 자격을 지닌다는 점을 부정할 수는 없다. 작품의 다양한 계기들을 조직하는 힘으로 작동하는 작품의 의도는 형상화의 과정에서 결국엔 소멸되는 것이지만, 우리는 작품의 의도가 갖는 나름의 개별적 독자성을 인정하지 않을 수 없다. 어떤 대상과 문제에 대한 관심이나 그것들을 이끌어가려는 방향인 의도가 없다면 애초에 작품 자체가 성립될 수 없을 것이기 때문이다. 어떤 작품을 분석하고 해석하는 과정은 그 작품의 형상화 과정에 내재하는 비밀의 건축을 이해하려는 과정이다. 그러한 비밀의 건축은 독자에게 직접적으로 제시되지 않는다. 우리는 작품으로 이루어진 것들을 매개로 하여 그것을 이해하게 된다. 비밀의 건축의 과정이 모호하고 불투명한 것은 독자뿐만 아니라 시인에게도 마찬가지이다. 작품의 형상화 과정에서는 시인의 의식뿐만 아니라 시인 스스로도 알 수 없는 그의 무의식이 함께 작동되기 때문이다. 그런데 시인의 시론에서는 그러한 비밀의 건축과 연관된 상상력의 움직임이 시 자체보다는 훨씬 평이한 수준으로 드러난다. 한 시인의 작품 전체에 내재하는 비밀의 건축을 이해하고자 할 때 우리가 그 시인의 시뿐만 아니라 그의 시론을 함께 분석하는 것도 바로 그러한 이유 때문일 것이다.

김수영은 김기림의 『시론』(1947)이나 조지훈의 『시의 원리』(1953)와 같은 체계적인 시론을 남기지는 않았다. 「시여, 침을 뱉어라 : 힘으로서의 시의 존재」 「반시론」 등과 같이 시와 연관된 나름의 생각을 비교적 집중적으로 드러낸 글들이 없는 것은 아니나, 김수영은 이른바 '시평'(時評)이나 '시론'(時論)과 같은 형식의 글들에서 시에 대한 나름의 견해를 단편적으로 밝혀 놓았다. 여러 산문들에 분산되어 있는 단편적인 언급들은 하나의 전체적인 시론으로 보기에는 무리가 따를 수도 있는 것들이다. 그러나 서로 다른 맥락에서 발화된 언표들이 나름으로 갖추고 있는 논리적 일관성과 정합성이, 우리가 그것들을 종합하여 하나의 전체적인 시론으로 구성하여 파악하는 것을 가능하게 한다.

김수영의 시론을 가리켜 흔히 '온몸의 시론'이라고 부른다. 그러한 규정의 근거는 김수영이 「시여, 침을 뱉어라」에서 언급한 다음과 같은 구절에 있다.

> 시는 온몸으로, 바로 온몸을 밀고 나가는 것이다. 그것은 그림자를 의식하지 않는다. 그림자에조차도 의지하지 않는다. 시의 형식은 내용에 의지하지 않고 그 내용은 형식에 의지하지 않는다. 시는 문화를 염두에 두지 않고, 민족을 염두에 두지 않고, 인류를 염두에 두지 않는다. 그러면서도 그것은 문화와 민족과 인류에 공헌하고 평화에 공헌한다. 바로 그처럼 형식은 내용이 되고 내용은 형식이 된다. 시는 온몸으로, 바로 온몸을 밀고 나가는 것이다.[1]

위의 인용문은 전체적으로 역설의 수사법에 의해 짜여 있기 때문에 그 의미의 맥락이 분명하게 드러나지 않는다. 모호하나마 우리가 그 의미를 짐작해 볼 수 있는 대목은, '문화'와 '민족'과 '인류'와 연관된

---

1) 『김수영전집2·산문』, 민음사, 2003, p.403. 민음사는 1981년에 펴낸 『김수영전집』에 누락되었던 자료를 보완하여 2003년에 개정판을 펴냈다. 앞으로 이 책에서 인용할 경우 '전집2'라 약칭하고 쪽수를 밝히기로 한다.

현실의 문제를 "염두에 두지 않는" 시가 "그러면서도" 현실의 문제를 푸는 데 "공헌한다"는 부분이다. 우리는 예술작품의 형상화에서 현실의 문제에 결코 관심을 두지 않는 태도를 '미학주의'(aestheticism)라 부를 수 있고, 현실의 문제에 적극적인 관심을 두는 태도를 '현실주의'(realism)라 부를 수 있다. 위의 인용문에서 "그러면서도"라는 접속사에 의해 결합된 두 문장은 '현실주의'의 태도와 '미학주의'의 태도를 종합하려는 의도에서 구성된 것이라 할 수 있다. 그런데 그 문장들에서 특별히 주목되는 것은 그러한 종합이 단순한 절충의 의미 효과를 넘어서는 것 같은 인상을 준다는 점이다. 상극적인 성격의 것들로 규정해온 두 가지 태도가 시에서 모두 필요하다고 주장하지 않고, 김수영은 '미학주의'의 태도 자체에 이미 '현실주의'의 태도가 내재해 있다고 주장한 것이다. 그러한 주장을 매개해 주는 것이 "시는 온몸으로, 바로 온몸을 밀고 나가는 것이다"라는 시에 대한 김수영 나름의 정의이다. 그러나 그러한 정의 자체는 마치 선문답과 같이 논리적 맥락을 배제한 것이어서 우리에게 구체적인 의미를 제공해 주지 않는다. 김수영은 상극적인 요소들을 나름으로 설정한 매개를 통해 종합하고 있지만, 우리는 그 매개 요소의 구체적인 의미 내용을 파악할 수 없기 때문에 그 종합의 타당성 여부를 제대로 평가할 수 없다. 그가 다른 글에서 단편적으로 언급한 구절들을 통해서라도 시에 대한 그의 독특한 정의(온몸시론)의 구체적인 의미를 밝혀낼 수 없다면, 이른바 '온몸시론'은 모호하고 심지어 공허한 것이 될 수밖에 없다. 김수영의 시론과 연관된 선행 연구들이 있음에도 불구하고[2], 위에서 제기한 문제에 대하여 충분한 해명을 제시해 준 글이 없다는 판단에 따라 이 글에서는 그 문제에 대해 검토하고자 한다.

2. 예술가의 존재 윤리와 윤리의 미학화

「시여, 침을 뱉어라」에서 김수영은 "시인은 시를 쓰는 사람이지 시를 논하는 사람이 아니며, 막상 시를 논하게 되는 때에도 그는 시를 쓰듯이 시를 논해야 할 것이다"라고 말하였다. 그 문장에서 쉼표로 분리된 후반부는 그 의미의 모호함에도 불구하고 특별한 느낌을 주지만, 전반부는 동어반복 수준의 평이한 내용으로 되어 있다. 사실 '시인은 시를 쓰는 사람이다'라는 명제는 '시인은 무엇을 하는 사람인가'라는 질문에 대하여 아무런 설명을 제시해 주지 못하는 거의 무의미한 진술에 가깝다. 이 경우에 '시란 무엇인가'라는 질문에 대한 대답이 '시인은 시를 쓰는 사람이다'라는 불충분한 명제를 보완해 줄 수 있겠지만, '시란 온몸으로 동시에 온몸을 밀고 나가는 것이다'라는 김수영의 '온몸시론'의 명제는 아무런 도움을 주지 못한다. 따라서 우리는 김수영의 시론을 살펴보기 위해 그에게 '시인은 어째서 시를 쓰는가'라는 질문을 제기해 볼 필요가 있다. 그 질문에 대해 시인이 굳이 답변을 해야 할 의무는 없지만, 나름으로 어떤 대답을 한다면 우리는

---

2) 김수영의 시론을 검토한 논문들 가운데 대표적인 것들로 다음의 논문들이 있다.
김윤식, 「김수영 변증법의 표정」, 황동규 편, 『김수영의 문학』, 민음사, 1983, pp.295~315.
이승훈, 「김수영의 시론」, 『한국현대시론사』, 고려원, 1993, pp.175~201.
강웅식, 「김수영의 시의식연구 : '긴장'의 시론과 '힘'의 시학을 중심으로」, 고려대박사논문, 1997.
오문석, 「김수영의 시론 연구」, 연세대박사논문, 2002.

그것을 시인의 시론을 이해하기 위한 하나의 단서로 삼아 볼 수 있다. 우리의 질문에 대해 김수영은 간접적으로 다음과 같이 말하였다.

> 무릇 모든 예술을 지향하는 사람은 허구 많은 직업 중에서 유독 예술을 업으로 택한 이유는 자기 나름의 독특한 개성을 살려 보기 위해서 독특한 생활방식을 갖지 않을 수 없었기 때문에 시를 쓰고 소설을 쓰고 그림을 그리게 된 것이다. 그리고 독특한 시를 쓰려면 독특한 생활의 방식(즉 인식의 방법)이 선행되어야 하고, 시나 소설을 쓰는 사람들이 문단에 등장하는 방식 역시 이러한 생활의 방식에서 제외될 수 없는 것은 물론이다. 남의 흉내를 내지 않고 남이 흉내낼 수 없는 시를 쓰려는 눈과 열정을 가진 사람이라면, 자기가 문단에 등장하고 세상에 자기의 예술을 소개하는 방법에 대해서도 그것이 독자적인 방법이냐 아니냐쯤은 한번은 생각하고 나옴직한 문제이다.[3]

위의 인용문은, 여러 문예지의 '신인추천' 제도나 일간지의 '신춘문예' 제도가 신인들의 진정한 등용문이 될 수는 없다는 것, 문단에 등단하려는 사람은 자신들이 문학을 선택하게 된 동기가 독특함과 새로움에 있음을 자각하고 그 나름의 독특하고 새로운 등단방식에 대해 고민해야 한다는 것 등을 피력한「문단추천제 폐지론」에 나오는 구절이다. 여기서 우리에게 주목되는 것은 네 번 반복되는 "독특한"이란 형용사와 두 번 반복되는 "자기"라는 명사가 "남의 흉내를 내지 않고

---

3) 전집2, pp.190~191.

남이 흉내낼 수 없는 시"라는 구절과 맞물리며 형성하는 의미의 맥락이다. 김수영에 따르면, 예술가란 이 세상의 다른 그 무엇과도 교환될 수 없는 자기 나름의 "독특한 개성"을 소유한 존재이다. 그런 존재에게 이 세상에 이미 주어져 있는 가치들은 그의 삶을 이끌어나가게 할 만한 객관적 가치의 규준을 제공해 주지 못한다. 예술가가 예술을 자신의 직업으로 선택한 이유는 예술의 창작활동을 통해 자기만의 독특한(새로운) 가치를 생성하기 위함이다. 여기에는 예술가의 존재 자체에서 촉발되는 어떤 윤리가 있다. 예술가는 독특한 가치를 생성하기 위해 예술창작뿐 아니라 자신의 생활에서도 독특한 생활의 방식을 추구해야 한다. 기존의 보편적 삶의 윤리나 가치에서 예술 주체로서의 주체성을 발견하지 못하는 예술가는 자기의 "독특한 개성"에 근거하여 스스로를 계발하여 독특한 주체로서 창출하고 자기만의 독특한 삶의 기술을 발견해야 하는 것이다. 예술가의 존재 윤리에 근거한 예술적 주체의 삶의 방식은 윤리의 미학화(aestheticization)라고 부를 수 있는 삶의 방식을 요구한다.[4] 이제 예술적 주체는 자신의 내적인 열정들을 통제하고 자신의 삶 자체를 일종의 예술작품으로 만들어야 한다. "시나 소설을 쓴다는 것은 그것이 곧 그것을 쓰는 사람의 사는 방식이 되는 것이다. 따라서 시나 소설 그 자체의 형식은 그것을 쓰는 사람의 생활의 방식과 직결되는 것이고, 후자는 전자의 부연이 되고

4) 김수영의 문학에서 '미학적인 것'과 '윤리적인 것'이 갖는 긴장관계에 대해 검토한 것으로 김기중의 다음 논문이 있다. 그런데 김기중은 김수영의 '윤리적 태도'나 '윤리적 상상력'이 '미학적 태도'나 '미학적 상상력' 자체에서 촉발된다는 사실에는 주목하지 않았다.
김기중, 「윤리적 삶의 밀도와 시의 밀도」, 김승희 편, 『김수영 다시 읽기』, 프레스21, 2000, pp.195~217.

전자는 후자의 부연이 되는 것이다"라는 김수영의 주장은 윤리의 미학화에 관한 설명 이외의 다른 것이 아니다.[5] 이러한 윤리의 미학화는 주체성의 특수한 방식을 구성하는 주변적 삶의 방식을 진정한 가치의 실현으로 파악하게 된다. 「마리서사」라는 글에서 김수영은, 전위예술을 깊이 이해하고 즐길 수 있는 능력을 지니고 있음에도 그것을 세속적 명리(名利)의 밑천으로 이용하지 않고 끝끝내 무명의 간판장이로 생활했던 박일영을 '성인에 가까운 진정한 아웃사이더'라고 높이 평가한다.[6] 그러한 평가의 근거 역시 윤리의 미학화에 있다. 김수영이, 그가 쓴 산문의 여러 곳에서, 청탁을 받아 원고료를 받고 글을 쓰는 행위를 가리켜 이름을 얻고 돈을 벌기 위해 하는 '매문행위'라고 규정하면서 스스로를 비판하는 것도 윤리의 미학화에 근거한 자기 반성 행위이다.

김수영이 예술가의 존재 근거로 삼은 예술적 주체의 "독특한 개성"은 이미 그 자체로서 하나의 새로움과 관련된다. 그러한 새로움 때문에 예술가는 세상에 이미 주어져 있는 의식형태나 가치와 불화를 겪을 수밖에 없게 된다. 「시인의 정신은 미지(未知)」라는 글에서 김수영이 "기정 사실은 그(시인 필자 주)의 적이다. 기정 사실의 정리도 그의 적이다"라고 말할 때,[7] 우리는 그가 말하는 '자기 나름의 독특한 개성'이 전체적으로 이지러진 세상의 부정적 가치와 불화를 일으킬 수밖에 없는 독특한 주체성(생명)임을 파악할 수 있다. 예술가에게도 기

5) 전집2, p.190.
6) 전집2, p.105~110.
7) 전집2, p.253.

존의 의식형태나 가치가 피할 수 없는 삶의 조건이 됨은 물론이다. 그러나 예술가는 자기만의 독특한 생명가치를 보존하기 위해 기존의 가치와 싸울 수밖에 없고 자기만의 독특한 삶의 기술을 발견해야만 한다. 다른 시인의 작품을 평가할 때 김수영은 다음의 인용문들에서 볼 수 있는 것처럼 그 시인 나름의 독특한 생명 가치의 발현 여부를 평가의 규준으로 삼는다.

체취가 풍기는 작품, 하면 개성이 강한 작품이라는 것 외에 어딘지 세련되지 않은 데가 있는 작품이라야 하고, 그런 세련되지 않은 데가 오히려 매력이 있다는 뜻이 은연중에 포함되어 있다. 간단히 말하면 땀내가 배어나는 작품이라고 해도 무방할 것이다. 그리고 그 땀내는 자기의 땀내라야 한다. 자기의 땀내. 나는 땀내보다도 '자기의'에 언더라인을 한다.[8]

조태일은 아류적인 '새로운' 것이 아닌 자기만의 새로운 목소리를 찾으려고 애를 쓰는 가장 촉망되는 신진의 한 사람으로서, 이 달의 그의 작품만 보더라도 그 소재는 변해가고 사회 고발적인 것에서 성의 에로틱한 것으로 있지만 그의 독특한 체질의 순수성을 고수하고 발전시켜 나가고 있는 점이 호감이 간다.[9]

성춘복의 「출발」은 작품으로서의 성공여부는 고사하고 우선 그의 괴기한 판타지의 유희가 남의 것의 모방이 아니라는 점에서 좋게 생각된다.[10]

8) 전집2, p.570.
9) 전집2, p.595.

포즈가 없는 시란, 두말할 것도 없이 견고한 자기풍의 시가 될 것이다.[11]

김수영은 시의 새로움도 중요하게 여기지만, 그보다 더 우월한 가치를 두는 것은 시인의 "독특한 체질의 순수성"이다. 그것이야말로 새로움의 모태라 할 수 있기 때문이다. "자기풍"을 보여주지 못하는 시의 새로움은 "아류적인 '새로운' 것"에 불과할 뿐이다. 자기만의 "체질의 순수성"을 지키려는 열정과 의지만이 과거의 문화적(혹은 문학적) 유산과 대결하게 함으로써 그만의 고유한 예술적 성취를 이룰 수 있게 해줄 것이다. "체질의 순수성"은 시인(예술적 주체)이 스스로 변모와 발전을 이룩하며 나아가는 데 중핵(中核)과도 같은 역할을 하는 요소이지만, 그렇다고 고정된 실체는 아니다. 김수영이 보기에 "그(시인 필자 주)는 언제나 시의 현시점을 이탈하고 사는 사람이고 또 이탈하려고 애를 쓰는 사람이다. 어제의 시나 오늘의 시는 그에게는 문제가 안 된다. 그의 모든 관심은 내일의 시에 있다. 그런데 내일의 시는 미지다. 그런 의미에서 시인의 정신의 언제나 미지다."[12] 시인은 기존의 모든 것을 적으로 삼아 투쟁하면서 미지의 새로움을 추구해야 하고, 그러한 추구는 부단한 실험으로 연결될 수밖에 없다. 그러나 부단한 실험에도 새로움의 모태인 "체질의 순수성"이 요구하는 어떤 윤리가 있다.

10) 전집2, p.587.
11) 전집2, p.562.
12) 전집2, p.253.

> 색다른 실험을 거듭하던 시인이 형태를 바꾸게 되면 우선 개의하게 되는 것은, 그가 종래의 실험단계에서 어떠한 자양분을 몸에 지니고 나왔느냐 하는 것이다.[13]

위의 인용문은, 김수영이 어느 월평의 지면에서 1964년 당시 나름의 시적 실험을 거듭하던 김구용과 송욱의 작품 경향을 의식하고 한 언급이다. 위의 인용문과 관련하여 김윤식은 "(김수영은 필자 주) 중견 또는 대가급 시인을 평할 경우 변모의 측면에 관심을 두며, 그 변모가 종래의 것에서 '어떠한 자양분'을 몸에 흡수했는가에 초점을 놓는다. 끊임없이 자기혁신을 하되, 종래의 것에서 자양분을 흡수하는 박목월, 김구용은 기리고 그렇지 못한 송욱 등은 비판이 대상이 된다"라고 분석하였다.[14] 김윤식은 김수영의 언급에서 '어떠한 자양분'을 강조했지만, 그보다 강조되어야 할 것은 '몸'이다. 김수영이 송욱과 비교하여 박목월과 김구용을 긍정적으로 평가한 것은, 그들이 부단한 실험을 통한 변모에도 불구하고 '몸'(체질의 순수성) 자체를 변화시키지는 않았다는 사실 때문이었다. 김수영이 볼 때, 김구용과 박목월의 변모는 순전한 형태상의 변모이며, 아무리 변모의 정도가 심한 경우에도 언제나 그 작품에 스며 있는 생리나 시의 핵은 변질되지 않지만, 송욱의 변모는 형태상의 변모라기보다는 시의 핵의 변모이다. 변모는 언제나 어떤 상태에서 다른 상태로 바뀌는 것이다. 이 때에 현재의 상태가 명확히 밝혀지지 않으면 변모의 구체적 양상이 파악되지 않는

13) 전집2, p.532.
14) 김윤식, 「김수영 변증법의 표정」, 황동규 편, 『김수영의 문학』, 민음사, 1983, p.307~308.

다. 과거의 어떤 상태에서 현재의 상태로 바뀌고 그것이 다른 상태로 다시 바뀌어야 하는 데에는 나름의 일관성이 있어야 하고, 그런 일관성을 보증해주는 것이 바로 '몸'(체질의 순수성)인데, 송욱의 변모에서는 그러한 보증을 확인할 수 없다는 것이 김수영의 부정적 평가의 이유이다. 송욱의 그런 변모는 독자에게 불쾌감마저 안겨 준다고 김수영은 비판한다. 송욱의 변모는 진정한 자기만의 새로움을 추구하지 않는 '포즈'에 불과한 것이기 때문이다. 그에게 시(혹은 시인)의 "변모는 어디까지나 자기의 본질의 발전체"라야 한다.

한국근대문학사의 맥락에서 평가할 때 김수영 문학은 흔히 모더니즘의 계열과 연관지어 논의된다. 김수영 스스로 언제나 시의 새로움을 강조하고 '현대시'와 '모더니티'라는 낱말을 긍정적인 의미로 사용한다는 점에서 그러한 관점은 타당하다고 할 수 있다. 그러나 거기에는 한 가지 유의해야 할 사항이 있다. 모더니즘의 이해와 연관된 우리 학계의 관습은 서양의 전위주의 문학운동의 이론과 창작기법을 수용한 문인들을 모더니즘의 계보로 포섭한다는 것이다. 그것은 한국근대문학사에 나름의 질서를 부여하는 하나의 방편이긴 하지만, 김수영 문학에는 그러한 관점만으로는 포섭되지 않는 어떤 잉여가 있다. 김수영에게 서양의 전위주의 문학운동의 이론과 창작기법은 하나의 참조사항이지 그것 자체가 새로움의 본질은 아니다. 그것들에 대한 수용의 결과(작품)가 한국근대문학사의 지평에서 그 나름으로 새로울 수 있는 것은 사실이지만, 김수영이 볼 때 그것은 '아류적인 새로움'이거나 '코스춤'에 불과하다. 시의 모더니티(현대성)를 언급할 때 김수영이 강조하는 것은 시인 각자의 '체질의 순수성'에 기반을 둔 새로움의 추구이다.

> 시의 모더니티란 외부로부터 부과하는 감각이 아니라 내면에서 우러나오는 지성의 화염이며, 따라서 그것은 시인이—육체로서—추구할 것이지, 시가—기술면으로—추구할 것은 아니다.[15]

위의 인용문에서 우리가 주목해야 할 것은 "내면에서 우러나오는" 이라는 구절과 "육체"라는 낱말이다. '자기만의 독특한 개성', '독특한 체질의 순수성', '시질'(詩質), '생리'(生理), '몸', '육체' 등의 구절과 낱말들은 모두 동일한 의미 연관을 갖는 것들이다. 김수영에게 시의 모더니티, 즉 시의 새로움과 현대성은 시인이 자신의 '육체'(체질의 순수성)에 근거하여 자신의 '현실' 속에서 스스로 획득하는 것이다. 그가 말하는 '현실'은 '육체'가 놓여 있는 지평이다. 그가 「거대한 뿌리」에서 말했던 것처럼 "아무리 더러운 역사"와 "아무리 더러운 전통"의 지평이라 할지라도 시인 자신이 생활의 뿌리를 내리고 있는, 시인의 일상을 재생산하게 하는 실질적 삶의 토대가 바로 그가 말하는 '현실'이다. 시인은 시의 새로움을 서양의 문학이론에서 찾지 않고 자신의 삶의 '현실'에서 찾는다. 그러한 '현실'의 토대 위에서, "모험의 발견으로서 자기형성의 차원에서 '새로움'을 제시하는 것"[16]이 그가 말하는 '시의 모더니티' 이다.

15) 전집2, p.516.

3. 자기 형성의 새로움과 '순간을 다투는 윤리'

앞 절에서 우리는 김수영의 '온몸시론'을 구체적으로 논의할 수 있는 단서를 찾기 위해 '시인은 왜 시를 쓰는가'라는 질문과 연관지을 수 있는 김수영의 언술들을 살펴보았다. 비록 그것들은 여러 산문들에 분산되어 있는 단편적인 성격의 것들이긴 했지만, 서로 결합되어도 그 전체적인 논리의 일관성과 정합성이 깨어지지 않는 것들이었다. 그리고 '시인은 왜 시를 쓰는가'라는 질문과 관련하여 우리가 추론할 수 있는 김수영의 답변은 '자기 형성의 차원에서 새로움을 제시하기 위함'이었다. 내 생각에, 김수영의 '온몸시론'에서 '자기형성'과 '새로움'의 문제는 예술가의 존재 윤리인 '윤리의 미학화'의 핵심 내용이라 할 수 있다. 김수영은 예술가의 독특한 삶의 방식을 '순간을 다투는 윤리'라는 나름의 개념으로 정식화한 바 있다.

> '제정신'을 갖고 산다는 것은, 어떤 정지된 상태로서의 '남'을 생각할 수도 없고, 정지된 '나'를 생각할 수도 없는 일이다. 엄격히 말하자면 '제정신을 갖고 사는' '남'도 그렇고 '나'도 그렇고, 그것이 '제정신을 가진' 비평의 객체나 주체가 되기 위해서는 창조생활(넓은 의미의 창조생활)을 한다는 전제가 필요하다. 그리고 이러한 모든 창조생활은 유동적이고 발전적인 것이다. 여기에는 순간을 다투는 어떤 윤리가 있다. 이것이 현대의 양심이다.[17]

16) 전집2, p.400.

위의 인용문에서 우리는 윤리의 미학화가 김수영의 사유에 얼마나 도저하게 삼투되어 있는가를 확인할 수 있다. 그는 예술의 창조행위를 일상 생활에서도 적용되는 "넓은 의미의 창조생활"로 확대하였다. 예술가에게는 예술의 형식이 그의 생활 방식의 부연이 되고 또 그 역이 성립될 수 있는 근거도 바로 '창조' 자체의 형식과 내용에 있다. '제정신을 갖고 사는 사람'은 '창조생활'을 하는 사람이다. 창조생활이란 유동적이고 발전적인 것이다. 창조란 그 과정의 매순간마다 향상을 꾀하는 것이기 때문이다. 김수영에 따르면, "제정신을 갖고 사는 사람이란 끊임없는 창조의 향상을 하면서 순간 속에 진리와 미에 전신(全身)의 이행을 위탁하는 사람이다."[18] '창조의 향상'이란 '자기 형성의 차원에서 새로움을 제시하는 것'과 다르지 않다. 그리고 그러한 향상을 위해서는 '전신의 이행', 즉 '온몸의 이행'이 전제되어야 한다. 자기만의 독특한 체질의 순수성을 토대로 하여 이루어지는 부단한 '자기형성'은 김수영의 '온몸시론'의 핵심이다.

김수영 문학의 주제를 흔히 '자유'와 '사랑'이라고 말하지만, 그것들은 '자기형성'을 위한 필연적인 계기들이다. '자기형성'의 과정에서 요구되는 '순간을 다투는 윤리'는 어떤 창조의 순간을 구성하고 자유를 이행하는 자기 자신이 되기 위해 전제되어야만 하는 윤리적 밀도를 가리킨다. 김수영이 말하는 '창조생활', 즉 '자기형성의 차원에서 새로움을 제시하는 것'은 자기 자신과 세계가 맺는 관계를 부단히 꾸려나가고 수행해 나가는 이행을 통해 향상된 자기 자신이 되는 것이므

17) 전집2, p.187.
18) 전집2, p.187.

로, 이 때에 '자유'는 그와 같은 부단한 이행에 의해 도달한 자기 자신이 되기 위한 중요한 매개가 된다. 사실 자유는 어떤 대상 사물처럼 증명될 수도 없고, 거리 두기를 전제로 하는 개념적 객관화에 의해 충분하게 파악될 수도 없다. 그것은 나름의 선택이자 이행이며, 이 수행의 가능성에 근거해서 비로소 그것에 대해 물음을 던질 수 있고, 현실에서 이루어지는 실제 수행을 통해 스스로의 자유를 확인하게 된다. "김수영의 시적 주제는 자유이다. (…) 그는 자유를 시적, 정치적 이상으로 생각하고, 그것의 실현을 불가능하게 하는 여건들에 대해 노래한다. 그의 시가 노래한다라고 쓰는 것은 옳지 않다. 그는 절규한다"[19]라는 김현의 견해는 나름으로 타당하긴 하지만, 김수영의 시론에서 자유는 단순히 시와 정치의 이념적 대상인 것은 아니다. 그것은 오히려 진정한 '자기형성'을 위해 필연적으로 요청되는 매개적 계기이다. 그러한 맥락이 파악되지 않으면, "그(시인 필자)는 언어를 통해 자유를 읊고, 또 자유를 산다. 여기에 시의 새로움이 있고, 또 그 새로움이 문제되어야 한다. (…) 새로움은 자유다. 자유는 새로움이다"[20]라는 구절이나 "(시의 필자) 모험은, 자유의 서술도 자유의 주장도 아닌 자유의 이행이다. 자유의 이행에는 전후좌우의 설명이 필요 없다. 그것은 원군이다. 원군은 비겁하다. 자유는 고독한 것이다. 그처럼, 시는 고독하고 장엄한 것이다"[21]라는 구절에서 볼 수 있는 것과 같이 '언어'와 '시'와 '자유'와 '새로움'이 동일한 맥락에서 함께 작동하는 동등한

19) 김현, 「자유와 꿈」, 황동규 편, 앞의 책, p.105.
20) 전집2, p.264.
21) 전집2, p.401.

구조적 계기가 될 수 있는 근거를 제대로 파악할 수 없게 된다. 김수영의 '온몸시론'에서 '시작'(詩作)은 단지 그 과정에서 어떤 결과(작품)가 생겨나는 단순한 개인 체험의 경과만을 의미하지 않는다. 그에게 '창조생활'과 동의어가 되어야 하는 '시작'은 기존의 알 수 있는 것들의 영역으로부터 자료들을 끌어내어 단순히 세련되게 조합하는 것만으로는 정당화되지 않는다. 자유의 이행처럼 매순간마다 결단과 선택을 통해 그때 그때마다 윤리적 밀도와 함께 비로소 도달되는 진리와 미를 근원적으로 열어 보이고, 세계와 인간에 대한 관계에 새로운 궤도와 새로운 시계(視界)를 제공함으로써 정당화될 수 있는 것이 바로 김수영이 말하는 '시작'이다.

김수영의 '온몸시론'에서는 자유와 마찬가지로 사랑 역시 진정한 '자기 형성'을 위해 필연적으로 요청되는 매개적 계기이다. "김수영의 시에 있어서 중심적인 주제는 사랑이며, 이것은 그에게 있어서 하나의 지배적인 이념으로까지 이르고 있음은 주목된다"[22]는 김종철의 견해 역시 나름으로 타당하긴 하지만, 김수영의 시론에서 사랑은 단순히 시와 정치의 이념적 대상인 것은 아니다. 사실 자유와 사랑은 동전의 양면과 같다. 그 모든 지배와 억압으로부터 벗어나려는 의지와 벗어날 수 있게 해주는 힘을 자유라고 한다면, 절대적 자유의 가장 내적인 핵심은 자기 자신에 대한 그리고 자기 자신을 향한 절대적 사랑이라고 하지 않을 수 없다. 사랑은 자유의 내적 핵심이다. 그러한 자유와 사랑은 그 누구도 굴종시키려 하지 않는다. '순간을 다투는 윤리'

22) 김종철, 「시적 진리와 시적 성취」, 황동규 편, 앞의 책, p.84.

에 바탕을 둔 '자기 형성'은 다른 사람과 더불어 자기 자신이 됨으로써 '창조의 향상'을 이룩한다. 자유와 마찬가지로 사랑 역시 '순간을 다투는 윤리'의 구조적 계기이다. 김수영은 자신의 실제 경험을 통해 그러한 맥락을 설명한다. 그는 질투가 날 정도로 좋게 보이는 후배의 작품(김재원의 「입춘에 묶여온 개나리」)을 정당하게 평가하기 위해서 그보다 나은 작품을 써야 했다. 그렇지 못한 상태에서 이루어지는 칭찬이나 비판은 스스로를 부정하거나 상대방을 부정하게 되기 때문이다. 후배의 좋은 작품에 자극을 받아 내가 스스로를 질적으로 향상시킨 작품을 썼을 때 비로소 '남'의 고유한 생명가치와 '나'의 고유한 생명가치를 손상하지 않고서 정당한 평가 행위를 할 수 있는 지점을 확보할 수 있다는 것이다. '순간을 다투는 윤리'에 바탕을 둔 '자기 형성'은 자신의 생명과 함께 타자의 생명을 북돋워주는 방향으로 전개된다. 김수영의 맥락에 따르면, '제정신을 갖고 쓴' 작품인 김재원의 「입춘에 묶여온 개나리」는 자기 나름으로 이룩한 '창조'를 자기 전달의 방식으로 타자에게도 가능한 자유로서 개방하고, 김수영은 자기에게 주어진 요구에 부응하여 자기 나름의 '창조'를 이룩함으로써 자기 자신이 된다. 자기 형성을 위한 자유는 자기만의 고유한 순수성에 대한 사랑에서 비롯하며 그 사랑은 타자 나름의 고유한 순수성을 받아들이고 나아가 타자의 생명을 확대한다. "시의 사변에서 볼 때, 이러한 온몸에 온몸의 이행이 사랑이라는 것을 알게 되고"[23]라는 구절이나 "시는 자기를 죽이고 타자가 되는 사랑의 작업이며 자세"[24]라는 구절에

23) 전집2, p.398.
24) 전집2, p.201.

서 우리가 확인하게 되는 것도 결국은 '순간을 다투는 윤리'의 구조적 계기인 '사랑'의 의미이다.

김수영의 '온몸시론', 즉 '시는 온몸으로 동시에 온몸을 밀고 나가는 것이다'라는 명제는 '시(혹은 시작)는 자기 형성의 차원에서 부단히 새로움을 제시하는 것'이라는 자신의 생각을 정식화한 것이다. 그는 '자기형성'의 문제를 다음과 같이 규정하기도 하였다.

갱생	=	변모	=	〈자기 개조〉	=	력	=	생	자의식의	=	애정[25]
(更生)		(變貌)		생리의 변경		(力)		(生)	괴멸		

위의 인용 부분은 김수영의 「후란넬 저고리」라는 작품의 시작 노트에 나오는 것이다. 그에 따르면, 「후란넬 저고리」는 노동을 찬미한 작품이다. 그런데 고급 양복인 '후란넬 저고리'는 비록 오래 입어서 누더기가 될 정도로 낡은 것이라고 하더라도 진정한 노동복은 아니다. 마찬가지로 시인 역시 나름의 노동을 한다고 하더라도 그것은 직접적인 생산에 참여하는 노동자나 농부의 노동이 될 수 없다. 시인의 노동이란 두말 할 것도 없이 시를 짓는 일이다. 그렇다면 시인의 노동이 농부나 노동자의 진정한 노동에 상응할 수 있는 부끄럽지 않은 노동이 되기 위해서 시인은 무엇을 해야 하는가? 「후란넬 저고리」라는 작품 초고의 윗란에 해놓은 낙서인 위의 인용 부분은 바로 그러한 질문에 대한 김수영 나름의 답변이라 할 수 있다. 그의 메모에서 '갱생'·'변모'·'자기 개조'·'생리의 변경' 등은 모두 '자기 형성'과 연관된

25) 전집2, p.436.

것이라 할 수 있다. '자기 형성'은 '힘'을 필요로 하고 또 그 자체가 어떤 '힘'일 것이다. '자의식의 괴멸'과 '애정(사랑)'의 등가관계 역시, 우리가 이미 살펴보았듯이, '순간을 다투는 윤리'에 바탕을 둔 '자기 형성'의 논리에서는 당연한 것이라 할 수 있다. 시인의 노동인 '시작'(詩作)은 창조와 동의어인 '자기형성'을 이룩함으로써 농부나 노동자가 수행하는 본원적인 의미의 노동에 상응하는 것이 될 수 있다. 김수영이 말하는 '순간을 다투는 윤리'와 그것에 따른 '양심'의 문제는, 사회적인 노동과는 다르지만 나름으로 일종의 노동인 예술가의 창작행위가 어떻게 하면 사회적 유용성(생산성)과는 다른 유용성을 획득할 수 있는가에 대한 반성행위와 연관된다. 그런 반성행위의 결과가 바로 그의 '온몸시론'이라 할 수 있다.

김수영의 '온몸시론'은, 비유·대칭·반복 등과 같은 기법을 활용하는 문제와 연관된 시작의 방법론이나 시의 본질에 대한 정의와 연관된 정교한 개념 체계와는 거리가 멀다. 자기 형성의 차원에서 제시하는 새로움과 그것을 추구하는 과정에서 따라야 하는 '순간을 다투는 윤리'로 요약할 수 있는 '온몸시론'은 시의 기술보다는 시(시인)의 양심을 더 강조한다.

> 환상시도 좋고 추상시도 좋고 환상적 시론도 좋고 기술시론(技術詩論)도 좋다. 몇 번이고 말하는 것이지만 기술의 우열이나 경향 여하의 문제가 아니라 시인의 양심이 문제다. 시의 기술은 양심을 통한 기술인데 작금의 시나 시론에는 양심은 보이지 않고 기술만이 보인다. 아니 그들은 양심이 없는 기술만을 구사하는 시를 주지적이고 현대적인 시라고 생각하고 있는

모양이다. 사기를 세련된 현대성이라고 오해하고 있는 모양이다.[26)]

김수영은 위의 인용문에서 시인의 양심을 보증할 수 없는 '기술만'으로 된 시를 '사기'라고 비판한다. 그가 말하는 '양심'이란 '순간을 다투는 윤리'에 근거하여 작동되는 것임을 우리는 알고 있다. 시론에서든 시에서든 자신의 독특한 생명가치를 바탕으로 하여 자기 형성의 차원에서 새로움을 제시하였는가에 대한 반성의 감각이 바로 그의 '온몸시론'이 말하는 '양심'이다. 그러나 예술의 실질적인 창작행위 이전의 것으로 보이는 '윤리'나 '양심'을 특별히 강조하는 '온몸시론'에 어떤 문제나 한계는 없는 것일까? 이러한 질문과 관련하여 김우창은 "양심의 소리가 귀에 거슬리게 쨍쨍하고 편협한 것이 되기 쉬움은 우리가 다 아는 바이다. 이 양심의 편협성은 김수영의 예술세계의 협소성, 그의 예술의 빈곤으로 나타난다"고 지적한다.[27)] 김우창의 그런 지적은 일견 타당한 측면이 없는 것은 아니나, 내가 보기에는 문제의 핵심을 다소 벗어나 있다. "김수영의 예술세계의 협소성, 그의 예술의 빈곤"에 대한 지적은 타당하다고 할 수 있다. 그런데 문제는 '협소성'과 '빈곤'이 현대 예술의 객관적 상황이라는 데 있다. 김수영은 위의 인용문에서 '양심의 문제'를 지성과 현대성에 연결시키고 있다. 그의 비판대로 "양심이 없는 기술만을 구사하는 시를 주지적이고 현대적인 시"라고 할 수 없다면, 그와 반대로 양심을 통과한 기술을 구사하는 시만이 주지적이고 현대적인 시가 될 수 있다. 그리고 '양심을

26) 전집2, pp.272~273.
27) 김우창, 「예술가의 양심과 자유」, 황동규 편, 앞의 책, p.205.

통과해야 한다'는 지성과 현대성의 전제는 현대예술의 '협소성'과 '빈곤'으로 귀결된다. 현대예술이 처해 있는 궁핍 상황과 관련하여 아도르노는 다음과 같이 언급한 바 있다.

> 가장 극단적이고 냉혹한 상태에 있는 현실에서 살아남기 위하여, 스스로 위로의 말로 팔리기를 바라지 않는 예술작품들은 스스로를 그러한 현실과 일치시켜야만 한다. 오늘날 급진적(radical) 예술은 어두운(dark) 예술과 동일한 의미를 갖는다. 그것의 근본적 색채는 검다. 현대의 수많은 작품들은 그러한 사정에 주의를 기울이지 않고 어린아이같이 순진하게 색채를 즐기기 때문에 현대성을 상실한다.[28)]

현대의 문명과 문화의 상황이 인간의 진정한 행복의 토대가 되기에는 극단적으로 참혹한 지경에 이르렀음은 우리 모두가 절실하게 확인하고 있는 사실이다. 그런 상황에서 예술이 그 존재 자체의 진리를 보존하면서 존속할 수 있는 방법은 무엇인가? 아도르노는 극단적으로 어두운 현실과 동일해져야 한다고 주장한다. 암흑과도 같은 현실에도 불구하고 밝고 아름다운 색채를 즐겨 쓴다면 그것은 현실을 외면함으로써 진리로부터 멀어진다. 자체 안에 진리를 보존하기 위해 현대 예술은 '협소성'과 '빈곤'을 객관적 조건으로 받아들여야만 한다. 그러나 '협소성'과 '빈곤'이 절대화된다면 결국엔 예술 자체가 소멸하게 되고 말 것이다. 예술에서 기술의 문제는 예술을 바로 그것이게 하는

28) Theodor W. Adorno, *Aesthetic Theory*, Trans., Robert Hullot-Kentor, Minesotapolis : University of Minesota Press, 1996, p.39.

예술 특유의 형식과 연관된다. 기술(형식)이 없다면 예술 자체가 성립될 수 없지만, 동시에 현대의 상황에 대한 자각(양심)이 없는 기술은 예술에서 진리를 사라지게 한다. 진리와 아름다움이 정확히 일치하는 것은 아니지만, 진리의 계기와 연관지을 수 없는 아름다움을 우리는 진정한 아름다움이라 할 수 없다. 현대 예술에서 '협소성'과 '빈곤'의 문제는 예술의 존속과 작품의 진리와 연관된 매우 민감한 문제들과 연결된다. 현대 예술에서는 예술가의 의식적이고 자발적인 '협소성'과 '빈곤'을 약점이나 한계로 지적할 수 없게 되어 있다. 김수영의 '온몸시론'이 '순간을 다투는 윤리'와 '양심'의 문제를 부단히 집중적으로 강조하는 것도 현대예술의 객관적 상황에 대한 나름의 철저한 이해 때문이다. 그에게 '양심'은 작품을 형상화하는 과정에서 과거와 현재의 부정적인 잔재들을 떨쳐버리고자 하는 미적 능력과 같은 것이다. 그것은 새로움을 추구하고 제시하기 위해 과거의 부정적인 것들을 비판하거나 거부하는 행위를 통해 예술 자체의 객관적 계기가 된다.

김수영의 '온몸시론'은 협소하고 빈곤하면서 동시에 모호하다. 그러나 그런 모호함(추상성)에도 그 나름의 이유가 있다. '온몸시론'의 특징은 온몸에 의한 온몸의 '이행'에 있다. 그 이행의 목표는 자기 형성의 차원에서 새로움을 제시하는 것이다. '새로움'이라는 조건과 목표 자체가 '온몸시론'을 모호하게 만든다. 그의 말대로 시나 시작(詩作)에 대한 의식이 아무리 정연하게 정비되어 있다고 하더라도 실제로 시를 짓는 과정에서 그것은 전혀 도움이 되지 못하거나 오히려 방해가 된다. 이미 정연하게 정비된 의식의 형태대로 시가 지어진다면 그것은 결코 나름의 새로움을 제시한 것이 될 수 없다. 차라리 시인은

"다음 시를 쓰기 위해서는 여태까지의 시에 대한 사변(思辨)을 모조리 파산을 시켜야 한다. 혹은 파산을 시켰다고 생각해야 한다."[29] 여기서 우리는 한 가지 의문을 제기하게 된다. 그 의문이란 "모호성은 그(김수영 필자)의 경우 시를 쓰게 하는 동력이나 수단이며, 동시에 모호성 자체가 바로 시의 목적이나 본질이 되는 것이다"[30]라는 이승훈의 언급과 연관된 것이다. 모호성 자체가 어떻게 시의 목적이나 본질이 될 수 있는가? 이승훈의 주장은 김수영의 '온몸시론'에 대한 나름의 이해에 근거한 것인데, 내가 보기에 그것은 '모호성'을 '새로움'으로 바꾸어 다음과 같이 수정되어야 한다. 즉, '새로움은 그의 경우 시를 쓰게 하는 동력이나 수단이며, 동시에 새로움 자체가 바로 시의 목적이나 본질이 되는 것이다'. '온몸시론'에서 시작 과정의 모호함은 시와 시작이 새로움을 전제로 하기 때문에 불가피하게 수반되는 객관적 조건이다. 모호함 자체가 시작의 동력이나 수단이 아니며, 동시에 시의 목적이나 본질인 것은 아니다. '온몸시론'은, 「시여, 침을 뱉어라」의 결론 부분에서도 제시되듯이, "모기소리보다도 더 작은 목소리로 아무도 하지 못한 말을 시작(始作)하는 것이다"라는 선언으로 귀결된다.[31] 김수영이 '아무도 하지 못한 말'을 '자유의 과잉'과 '혼란'에 직접적으로 연결시켰다고 하더라도, 그것은 '아무도 하지 못한 말'의 모호성을 강조하려는 것이 아니라 그 새로움을 강조하려는 의도에서 비롯한 것이다. '아무도 하지 못한 말'이 새로울 수 있는 것은, 그것이

29) 전집2, p.398.
30) 이승훈, 앞의 책, p.189.
31) 전집2, p.403.

민족과 인류와 문화에 대한 기존의 이해와는 다른 새로운 이해의 지평을 열어줌으로써 "여태껏 없었던 세계가 펼쳐지는 충격"[32]을 주기 때문이다. 그리고 그 말을 시작하는 목소리가 '모기소리보다 더 작은 목소리'일 수밖에 없는 것은 그것이 그만큼 어렵기 때문이다. 김수영은 그러한 새로움의 충격이 주는 문학적·사회적 파급 효과와 관련하여 "모든 진정한 새로운 문학은 그것이 내향적인 것이 될 때는—즉 내적 자유를 추구하는 경우에는—기존의 문학형식에 대한 위협이 되고, 외향적인 것이 될 때에는 기성사회의 질서에 대한 불가피한 위협이 된다"고 주장하였다.[33] '온몸시론'에서 '아무도 하지 못한 말'이 '자유의 과잉'이나 '혼란'과 동등 관계에 놓일 수 있는 논리적 근거가 바로 '새로움'에 있는 것이다. 예술(혹은 예술가)은 오로지 새로움만을 추구할 뿐이고, 그것을 위해 '순간을 다투는 윤리'에 헌신할 뿐이다. 그렇게 하여 이루어진 하나의 작품이 이제까지 존재하지 않았던 새로운 세계가 열리는 충격을 주었을 때, 그 새로운 세계를 구축하기 위해 투여된 예술가의 노동은 노동자나 농부의 노동에 상응하는 것이 되고, 작품 자체는 그것이 가한 충격으로 인한 혼란을 통해 문화와 민족과 인류에 공헌하고 평화에 공헌한다.

32) 전집2, p.401.
33) 전집2, p.220.

4. '힘으로서의 시의 존재'

이제까지 우리는 김수영의 '온몸시론'의 구체적인 내용에 대해 살펴보았다. 우리는 '시는 온몸으로, 바로 온몸을 밀고 나가는 것이다'라는 시의 정의에 대한 김수영의 명제가 모호하다는 문제의 제기로부터 이 글을 출발하였다. 그리하여 우리는 그의 여러 산문들에 분산되어 있는, 시의 정의에 대한 그의 단편적인 언급들을 통해 '온몸시론'의 모호한 명제를 해명해 보고자 하였다. 그 과정에서 우리는 '온몸에 의한 온몸의 이행'이 시와 생활 자체를 통해 자기 형성의 차원에서 '새로움'을 제시하기 위한 나름의 실천 방법임을 확인하였고, 그러한 이행을 위해 '순간을 다투는 윤리'라는 매개 요인이 필요하다는 것을 발견하였다. 그리고 '자유'·'사랑'·'양심'·'현대성'·'새로움' 등과 같이 김수영 문학을 규정하는 주제어들이 그 자체로서 하나의 이념적 대상이 되는 것이 아니라 '온몸시론'을 작동시키는 다수의 동등한 매개적 계기가 된다는 사실을 밝혔다. 시란 자기 형성의 차원에서 나름의 새로움을 제시하는 것이고, 그러한 새로움의 추구를 위해서는 '순간을 다투는 윤리'에 바탕을 둔 부단한 이행이 요구된다는 '온몸시론'의 내용은, "사실에 있어서 성숙이라는 낱말에 부합되는 변모를 김수영만큼 뚜렷하게 성취한 시인은 드물다"[34]라는 견해나 "김수영에 대한 가장 온당한 정의의 하나로 우리는 그의 부단한 자기갱신능력을 지적할 수 있을 것이다"[35]라는 견해의 타당성을 확인할 수 있게 해준다.

---

34) 김인환, 「한 정직한 인간의 성숙과정」, 황동규 편, 앞의 책, p.219.
35) 유종호, 「시의 자유와 관습의 굴레」, 황동규 편, 앞의 책, p.237.

'온몸시론'의 내용 항목들인 예술가의 존재 근거(자기만의 독특한 개성), 예술의 형식과 생활의 방식이 상호 부연(敷衍)이 되는 윤리의 미학화, 체질의 순수성을 바탕으로 이루어지는 부단한 실험, 부단히 창조의 향상을 이룩하면서 진리와 미에 온몸의 이행을 위탁하는 '순간을 다투는 윤리' 등을 하나의 전체적이면서도 역동적인 짜임관계에 놓이게 하는 중핵(中核)은 바로 예술가(시인)가 자기 형성의 차원에서 제시하는 새로움에 있다. 사실 새로움이란 본질적으로 모호하고 추상적인 것일 수밖에 없는지도 모른다. 새로움이란 현실에서 실제로 이루어진 것 자체라기보다는 언제나 새로움에 대한 동경일 수밖에 없기 때문이다. 그것은 여태껏 '아무도 하지 못한 말'이자 앞으로도 '말로는 표현할 수 없는 어떤 것'이기도 하다. 김수영의 '온몸시론'에는 새로움을 현대성과 연관된 문제의식으로 설정하지 못하는 시인들에 대한 부정과 비판은 무성한 반면에 새로움 자체에 대한 내용상의 규정은 거의 보이지 않는 것도 그러한 이유 때문일 것이다. 어쩌면 김수영의 '온몸시론'은 지나치게 원론적인 사실들만을 강조하고 있는 시론인지도 모른다. 그러나 그것에는 새로움을 추구하지 못했던 사람들을 반성하게 하고 나아가 새로움을 동경하게 하는 힘이 들어 있다. 그 힘은 '온몸시론'을 구성하는 다양한 계기들을 통해 이루어진 밀도와 긴장에서 나온다. 그러한 밀도와 긴장이야말로 '온몸시론'의 구체적인 내용이자 형식이라 할 수 있다.[36)]

'온몸시론'은 예술가(시인)에게 특별한 존재론적 위상을 부여해 준다. 본론의 전개과정에서 살펴보았듯이 김수영에게 예술가는 자기만

36) 여기서 우리는 김수영의 시론을 대표하는 글인 「시여, 침을 뱉어라」의 부제가 '힘으로서의 시의 존재' 라는 사실을 기억할 필요가 있다.

의 독특한 개성을 지키기 위해 예술을 직업으로 택한 사람이며, 그러한 체질의 순수성을 보존하고 발전시키기 위해 창조적 추진력의 근거가 되는 '순간을 다투는 윤리'에 헌신하는 사람이다. 그는 예술가의 그런 창조생활을 '온몸에 의한 온몸의 이행'이라는 명제로 정식화하였다. 예술가의 존재 근거이자 존재 목표인 '새로움'은 민족과 인류와 문화에 대한 기존의 이해와 인식을 염두에 두지 않는다. 주도면밀하게 조직된 현대사회의 지배질서의 척도에서 볼 때 그러한 '새로움'의 추구는 불온하거나 혼란스러운 것으로 비칠 수밖에 없다. 균질화와 획일화를 목표를 하는 지배질서의 관점에서 그러한 새로움은 병적이거나 빗나간 것이거나 미친 것으로 규정되고 분류된다. 그러나 새로움의 추구를 병적인 것으로 규정하는 지배질서의 건강이 오히려 병든 것임이 판명되는 순간 이제까지 병적인 것으로 치부되던 것이 사실은 진정한 건강을 위한 변증법적 회복 세포였음이 드러난다. 「시여, 침을 뱉어라」에서 '자유와 사랑의 동의어인 혼란은 문화의 본질적 근원이고, 그것을 발효시키는 누룩의 역할을 하는 것이 진정한 시의 임무'라는 취지의 주장을 하였을 때, 그는 현대사회에서 시인의 존재론적 위상이 바로 '변증법적 회복 세포'와 같다는 사실을 지적하고 있는 것이다. 그의 말대로 "시는 문화를 염두에 두지 않고, 민족을 염두에 두지 않고, 인류를 염두에 두지 않는다. 그러면서도 그것은 문화와 민족과 인류에 공헌하고 평화에 공헌한다." 그리고 "그러면서도"의 전환을 통해 '미학주의' 자체가 '현실주의'와 겹쳐지면서 이루어지는 초월적 종합을 가능하게 하는 매개 요인은 바로 '시는 온몸으로, 바로 온몸을 밀고 나가는 것이다'라는 '온몸시론'의 핵심 명제이다.

김수영 신화의 이면

1.

'김수영 신화'라는 표현은 김윤식이 사용한 것이다. 1970년대 이후 김수영의 시와 산문을 대상으로 무수한 담론들이 생성된 현상을 가리켜 김윤식은 '김수영 신화'라고 표현했다 : "이른바 70년대의 문학적 공간을 지속적으로 그리고 폭포처럼 겁도 없이 메아리치게 한 김수영 신화가 그것이다"[1]. 김윤식이 '신화'로 규정한 그 현상은 70년대와 80년대의 특수한 정치적·시대적 상황과 밀접한 관련이 있다. 흔히 김수영 문학의 주제들로 거론되는 '자유'·'정직'·'양심'·'사랑' 등

1) 김윤식, 「김수영 변증법의 표정」, 『김수영의 문학』, 황동규편, 민음사, 1983, p.295. 황동규가 편자로 되어 있는 『김수영의 문학』은 1983년 민음사에서 펴낸 두 권의 '김수영 전집'의 별권으로 기획된 것이다. 앞으로 이 책에 수록된 글을 인용할 때는 '전집 별권'으로 약칭하여 인용하기로 하고, 전집의 경우는 각각 '전집 1'과 '전집 2'로 약칭하기로 한다.

은 바로 70년대와 80년대의 정치적 문화적 분위기와 연관된 화두와 같은 것이었다. 정통성을 결여한 권력이 정권을 잡음으로써 파생된 정치적 억압과 부자유, 급속한 산업화에 따른 전통적인 가치관의 붕괴와 문화적 혼란, 그리고 그와 같은 시대적 상황 속에서 능동적 기능을 담당하지 못했던 대다수 지식인들의 부끄러운 행태 등으로 기억되는 것이 바로 우리의 70년대와 80년대였다. 그처럼 어둡고 어려운 시대일수록 가장 평범하고 일반적인 덕목이 소중해지고 또 지켜지기가 쉽지 않다. 격정성과 속도감을 실은 문장들에 흩뿌려져 있는, 자유와 양심과 정직과 사랑에 대한 선언적인 주장들은 김수영 문학의 미학적 품격과 의미에 대한 검토에 앞서 우선 심정적으로 그것에 이끌리게 하는 강력한 흡인력으로 작용했다는 것은 '김수영 신화'를 돌이켜 보는 필자만의 소회는 아닐 것이다.

유종호가 이미 지적한 바 있듯이 시와 산문을 포괄하는 김수영 문학의 가장 흔한 모티브는 자기 분석이다. 김수영에 의해 생성된 거의 모든 담론들은 생활인이자 지식인이며 시인인 자기 자신에 대한 해부와 그런 해부를 통해 드러난 자신의 부정적 모습에 대한 노출과 폭로로 이루어져 있다. 이러한 사정은 김수영의 문학을 '정직'이나 '양심' 나아가 '자유'와 같은 개념들을 통하여 규정하게 하였으며, 그러한 규정들은 이른바 '김수영 신화'의 토대가 되었다. 유종호는 김수영 문학에 나타나는 '폭로적인 자기분석'의 양상과 관련하여 다음과 같이 설명한다.

(…) 시는 그에게 있어 그 자체가 목적이 아니라 자유의 행사를 위한 수

단이며 정직성에 이르는 지름길이기도 하다. 「달나라의 장난」에서 '영원히 나 자신을 고쳐가야 할 운명과 사명에 놓여' 있다고 노래하고 실제로 그것을 실천한 자기갱신 지향은 시인으로서뿐 아니라 도덕적 존재로서의 그에게 똑같이 형성적이었다고 할 수 있다. 후기로 갈수록 시인됨과 도덕적 주체됨은 분리할 수 없는 하나로 굳어져 간다. 시를 써내기보다도 시인 자신을 살아 있는 도덕적 양심의 시로 전환시키려는 성향이 짙어 간다. 한편 직관의 정직성과 개인적 도덕의 정직에서 시적 양심을 찾으려는 성향은 일종의 도덕적 급진주의로 귀결된다. (…)

선이 아닌 모든 것이 악이라는 도덕적 급진주의는 자유에의 갈망과 바싹 다가 있지만 한편으로 그의 완벽성의 미학에 대한 의도적인 무관심을 더욱 조장하였다. 그에게 중요한 것은 시의 완성이 아니라 양심의 살아 있는 詩化였기 때문이다. 그런 의미에서 그의 시는 단시적 완성의 의도적 훼손과 개칠이 없는 일회적 정직의 순간에 대한 지향이 상처 낸 선혈로 홍건하다.[2)]

위와 같은 유종호의 발언에는 김수영의 문학에 대한 그 나름의 가치평가가 내포되어 있다. 유종호의 견해에 따르면 '양심의 살아있는 시화'와 '단시적 완성의 의도적 훼손'은 김수영 문학의 특질이다. 그런데 전자는 김수영 문학에 대한 긍정적 가치평가의 측면이 되지만, 후자는 부정적 가치평가의 측면이 된다. 위의 인용문에서 "상처 낸 선혈로 홍건하다"라는 대목은 그러한 부정적 가치평가의 의도를 드러

2) 유종호, 「시의 자유와 관습의 굴레」, 전집 별권, p.253.

낸 것이라 할 수 있다. 유종호의 가치평가는 김수영 문학에 대한 가치평가와 관련하여 일반적으로 합의된 하나의 관점을 대표한다. 김수영 문학은 한 시대의 정치적 사회적 맥락에서 벗어날 수 없는 예술가의 도덕적 양심과 연관된 고뇌의 측면에서는 여러 가지로 시사하는 바가 많으나 예술작품을 제작하는 예술가이기에 벗어날 수 없는 작품의 미학적 완성의 문제와 연관된 고뇌의 측면에서는 상대적으로 시사하는 바가 그렇게 많지 않다는 관점이 그것이다. 그것은 다양하게 변주되는데, 김윤식의 견해 역시 그러한 변주 가운데 하나이다 : "(…) 이러한 행위의 지속은 그를 부패에서 이끌어내는 날쌤의 방식이기는 하나, 생성에로의 질적 비약을 하는 초월의 단계에로 나아가기에는 미흡하였다."[3] 김윤식이 말하는 '이러한 행위'는 유종호가 말하는 '양심의 살아있는 시화'와 맥을 같이 한다. 요컨대 김수영은 "4·19 이래 드물게 보는 눈뜬 의식의 소유자"이긴 했으나 예술 창조의 차원에서는 독자적인 영역을 확보하지 못한("우리가 그를 전문가급으로 부르기에 미흡함을 느끼"게 하는) 예술가라는 것이 김윤식의 주장이다.[4] 김윤식의 견해는 유종호의 견해를 함께 포괄하는 관점에 속해 있으면서 동시에 그 관점을 넘어서고자 한다는 데에 그 특징이 있다. 김윤식은 김수영이 교통 사고로 돌발적인 죽음을 맞이한 1968년보다 조금 앞선 시점에서 자신의 문학에 놓여 있는 문제점을 알아차리고 자신의 한계를 돌파하고자 시도한다고 주장한다. 김윤식에 따르면, 그렇게 파악할 수 있는 근거는 김수영이 죽은 해인 1968년에 발표한 두 편의 시론

3) 김윤식, 앞의 글, 같은 책, p.312.
4) 김윤식, 앞의 글, 같은 책, p.312.

(「시여, 침을 뱉어라」와 「반시론」)이다. 그 두 편의 논문들에 대한 분석을 통해 김윤식은 김수영이 하이데거의 예술론을 접하면서 자신의 문학에 결여되어 있는 부분을 통찰하고 자신이 나아가야 할 지점을 인식했다고 주장한다. 그러나 김수영은 그 지점을 인식하고 묘사할 수는 있었으나 작품 자체로 직접 보여주는 수준에는 이르지 못했다고 김윤식은 지적한다.

김수영 문학에 대한 논의에서 김윤식의 주장은 매우 핵심적인 문제를 제기한다. 김수영 문학은 이제까지 거듭 강조되어 왔던 바와 같이 현실과 삶에 대한 예술가의 태도와 연관된 차원에서만 유효한 참조항이 되는가, 아니면 기존의 논의와는 달리 예술 그 자체의 완성이라는 문제와 연관된 차원에서도 유효한 참조항이 될 수 있는가, 하는 것이 그런 핵심적인 문제의 내용이다. 김수영의 시와 산문들을 텍스트로 하여 앞으로 씌어질 논문들에서 당연히 개개의 작품들에 대한 새로운 해석이 이루어질 것이다. 문제는 그러한 해석들의 새로움이 기존의 논의를 단순히 보완하는 수준에서 머무르는 것인가, 아니면 이제까지 지적되었던 김수영 문학의 결여항 그 자체를 채워 넣음으로써 김수영 문학의 성격을 근본적으로 새롭게 하는 수준으로 나아갈 수 있는 것인가, 하는 점일 것이다. 이 글에서는 김수영 문학과 연관된 논의에서 다른 작품들에 비해 상대적으로 집중적인 조명의 대상이 되지 않았던 몇 편의 작품들과 함께 「풀」을 분석함으로써 앞에서 제기한 문제를 풀어 보고자 한다.

2.

김수영 문학이 폭로적인 자기분석에 근거하고 있다는 사실은 구체적인 작품들에서 쉽사리 확인된다. 60년대에 발표된 작품들에서 상대적으로 폭로와 노출의 경향이 강화되긴 하지만, 50년대에 발표된 작품들에서도 우리는 그러한 자기분석의 사례를 흔하게 발견할 수 있다. 60년대의 작품들처럼 일상 생활의 구체적 세부를 노출하지는 않으나 50년대의 작품들 역시 분석 주체인 '나'가 등장하여 자신의 생활과 정신과 예술에 대해 반성한다 : "이 영원한 숨바꼭질 속에서/나는 또한 영원한 늬가 없어도 살 수 있는 날을 기다려야 하겠다/나는 億萬無慮의 悔辱인 까닭에"(「너를 잃고」, 1953), "나는 구태여 생각해본다/그리고 비교하여 본다"(「시골 선물」, 1954), "사람이야 말할 수 없이 애처로운 것이지만/내가 부끄러운 것은 사람보다도/저 날짐승이라 할까"(「도취의 피안」, 1954), "나의 천성은 깨어졌다/더러운 붓끝에서 흔들리는 汚辱"(PLASTER」, 1954), "고통의 영사판 뒤에 서서/어룽대며 변하여가는 찬란한 현실을 잡으려고/나는 어떠한 몸짓을 하여야 되는가"(「映寫板」, 1955), "먼 산정에 있는 마음으로/나의 자식과 나의 아내와/그 주위에 놓인 잡스러운 물건들을 본다"(「구름의 파수병」, 1956), "나는 너무나 많은 첨단의 노래만을 불러왔다/나는 정지의 미에 너무나 등한하였다"(「서시」, 1957), "그대는 반짝거리면서 하늘아래에서/간간이/자유를 말하는데/우스워라 나의 靈이은 죽어 있는 것이 아니냐"(「사령」, 1959). 이러한 1950년대의 작품들과 비교할 때 1960년대의 작품들에서 김수영은 자신의 구체적 일상을 분석 대상으로 삼으면서 거기에다 희화적인 극적 상황을 부여한다. 「罪와 罰」(1963), 「강가에서」(1964), 「어느날 古宮을 나오면서」(1965), 「식모」(1966), 「엔카운터誌」(1966), 「電話이야기」(1966), 「도적」(1966), 「美濃印札紙」(1967), 「性」(1968), 「의자가 많아서 걸린다」(1968) 등 1960년대에 그가 쓴 작품들 대부분이 그러한 경향을 보여준다. 대표적인 경우에 해당하는 「도적」을 보자.

돈에 치를 떠는 여편네도 도적이 들어왔다는
말에는 놀라지 않는다
그놈은 우리집 광에 있는 철사를 노리고 있다
싯가 七백원가량의 새 철사뭉치는 우리집의
양심의 가책이다
우리가 도적질을 한 것은 아니지만 우리가
훔친 거나 다름없다 아니 그보다도 더 나쁘다
앞에 二층집이 신축을 하고 담을 두르고
가시철망을 칠 때 우리도 그 철망을 치던
일꾼을 본 일이 있다
그 일꾼이 우리집 마당에다 그놈을 팽개
쳤다 그것을 그놈이 일이 끝나고나서
가져갈 작정이었다 막걸리값으로 하려고
했는지 아침쌀을 팔려고 했는지 아마
그정도일 거라 그것을 그놈이 가져
가기 전에 우리가 발견했다

이 횡재물이 지금 우리집 뜰아래 광에
들어있다

나는 도적이 이 철사의 반환을 꾀하고 있다고
생각한다 우리집 건넌방의 캐비네트를
노리고 있다고는 생각되지 않는다 아마
그럴지도 모르지만
나는 광문에 못을 쳐놓았다
그 이튿날 여편네와 식모가 하는 말을 들어보니
철사뭉치는 벌써 지하실에 도피시켜 놓은 모양이었다
도적은 간밤에는 사그러진 담장쪽이 아닌
우리집의 의젓한 벽돌기둥의 정문 앞을
새벽녘에 거닐었다고 한다
시험공부를 하느라고 밤을 새는 큰아이놈의
말이다 필시 그럴거라

—「도적」 부분

이 시에 등장하는 모든 인물들은 제목 그대로 모두 '도적'이다. 시인의 집 마당에 슬쩍 철사를 던져 놓은 인부도, 자기의 것이 아닌 것을 지키려고 광문에 못을 치는 시인도, 더욱 잽싸게 지하실에 도피시켜 놓게 한 시인의 아내도, 주인의 말이라고 무조건 따른 식모도, '도적'이 아니었을지도 모르는 사람을 부모의 말만 듣고 도적이라고 생각한 시인의 큰아들도, 담장에 철조망을 두르는 이층집 주인도 모두

가 다 도적이다. 특히 시인은 "의젓한 돌기둥"으로 된 자신의 집 정문을 묘사함으로써 담장에 철조망을 두르는 이층집 주인과 자신이 크게 다르지 않다는 점을 넌지시 보여준다. 아무튼 그들은 김수영이 즐겨 쓰는 말로 모두 '양심'을 저버린 죄의 공모관계에 연루돼 있다. 여기서 주목해야 할 점은 '죄의 공모관계'에 관한 것이다. 보편적으로 사회에 의해 매개된 세계에서는 이 세계에서 이루어지는 죄의 연관관계의 외부에 위치하는 것은 아무것도 없다. 김수영이 가장 증오한 것은 우리 사회의 후진성과 허위의식이었지만 그러한 것을 증오하고 비판하는 자기 자신조차도 거기에 연루되어 있다는 사실을 그는 냉철하게 인식했다. 문명이나 사회가 내 바깥에 있거나 내가 그 바깥에 있는 것이 아니라, 그것의 한가운데에 내가 있고 그것이 내 한가운데 있다. 문명이나 사회에 죄가 있다면 동시에 내게도 죄가 있게 된다. 그러한 사실의 인식 때문에 김수영은 우리 사회의 부정적 양상들을 비판할 때에는 죄의 연관관계의 외부에서 하지 않고 자기도 그 죄에 연루된 일종의 '공범 증인'으로 스스로의 죄를 자백하면서 그러한 비판을 수행한다. 작품들 거의 대부분이 희화적 분위기를 띠고 있는 것도 비판의 그러한 이중적 양상 때문이다. 김수영에게 '폭로적인 자기 분석'은 자기 자신과 세상의 허위를 비판할 수 있는 지점을 확보하기 위한 방법이었다.

이상에서 우리는 김수영의 시에 주도적으로 등장하는 '폭로적인 자기 분석'의 방법론과 연관된 작품들을 살펴보았다. 그런데 김수영 문학과 그의 시의식의 전모를 파악하기 위해서는 그러한 작품들과는 다른 계열에 속한 작품들에 대한 참조가 필요하다. 그러한 계열에 속하는 작품으로 대표적인 경우가 「거위 소리」와 「눈」이다. 우선 「거위소리」를 살펴보자.

> 거위의 울음소리는
> 밤에도 여자의 縞瑪色 원피스를 바람에 나부끼게 하고
> 강물이 흐르게 하고
> 꽃이 피게 하고
> 웃는 얼굴을 더 웃게 하고
> 죽은 사람을 되살아나게 한다
>
> —「거위 소리」 전문

1964년 3월에 발표된 이 작품에서는 '폭로적인 자기 분석'의 흔적이 보이지 않는다. 분석 주체인 '나'도 등장하지 않고 일상 생활의 구체적인 세부도 눈에 띄지 않는다. 작품에서 강조되는 것은 우연히 듣게 된 거위의 울음소리와 또한 우연히 보게 된 몇 가지 풍경들이다. '여자의 호마색 원피스'와 '강물'과 '꽃'과 '얼굴'은 원래 거위의 울음소리와는 아무런 관련이 없는 것들이다. 거위가 울 때 마침 바람이 불어 원피스를 나부끼게 하였다면 그것은 우연한 사태일 뿐이다. 작품에서 한 인물은, 그러나, 거위의 울음소리가 원피스를 바람에 나부끼게 하고, 강을 흐르게 하고, 꽃을 피우고, 웃는 얼굴을 더 웃게 했다고 주장한다. 작품의 결구라고 할 수 있는 마지막 행에서는 심지어 그 거위 소리가 죽은 사람을 되살아나게도 한다고 주장한다. 다시 말해 화자는 거위의 울음소리로 인해 발생한 주술적 사건에 대해 보고하고

있는 것이다. 우리는 화자의 그런 주장에 동의할 수 없는데, 그 이유는 화자의 목소리가 '숭엄함'을 보유하지 못하고 있기 때문이다. 시에서 '숭엄함'이란 인간의 이해 능력을 초월하는 것이며, 경외심이나 열정적인 격정을 불러일으키면서 화자에게 인간의 능력을 초월하는 어떤 느낌을 부여하는 것과 맺는 관계를 뜻한다.[5] 신이 사라져 버린 '궁핍한 시대'에 시인이나 시의 화자는 그러한 숭엄함을 직접적으로 보유할 수 없다. 현대시는 주술적 마법을 가능하게 하는 숭엄함을 확보하기 위해 언어의 비의미론적 성질 소리, 리듬, 글자의 반복을 전경화한다. 현대시의 화자는 어떤 정보를 전달하기 위해서만 말을 하는 것이 아니라, 시적이고 예언적인 목소리로 자신의 정체성을 설정하기 위해서도 말을 하는 것이다. 현실의 경험세계에서는 거의 소음에 가까운 거위의 울음소리가 이 시에서는 특별한 사건의 동인이 되고 있다. 그 사건의 구체적인 내용은 죽은 사람이 되살아 나는 기적의 실현이다. 그러나 그 특별한 사건은 화자에 의해 주장될 뿐이지 작품의 구조에 의해 구축되지 못한다. 기적의 놀라움에도 불구하고 화자의 주장이 공허하게 느껴지는 것도 그 때문이다. 시의 사건을 시의 구조가 보증해 주지 못하고 있는 것이다. 여기서 우리는 '폭로적인 자기 분석'의 방법에 입각한 작품들과 이 작품에서 시의 언어가 갖는 기능의 차이에 대해 주목할 필요가 있다. 구체적인 일상의 세부들을 재료로 희화적인 극적 상황을 설정해 놓고 자기 자신과 사회의 부정적 양상을 비판하는 '폭로적인 작기 분석'의 시들에서 시의 언어는 서술적인

5) 조너선 컬러, 『문학이론』, 이은경 · 임옥희 역, 동문선, 1999, p.124.

기능을 수행할 뿐이다. 그것들은 정황을 묘사하고 화자의 자의식을 토로하는 데 필요한 도구에 불과하다. 일상의 현실에서는 불가능한 기적과도 같은 사건의 구축을 의도한 「거위 소리」에서 언어는 단순한 도구의 수준을 넘어서지 않으면 안 된다. 시의 구조 속에서 언어 자체가 주술성을 발휘해야만 그 구조를 통해 구축된 사건 자체가 주술성을 띠게 되는 것이다. 이 경우 시인이 말하는 것이 아니라 언어 스스로 말해야 할 것이다. 그러나 「거위 소리」에서 '사건으로서의 시'와 '구조로서의 시' 사이에 가로놓인 단절이 작품의 결구인 "죽은 사람을 되살아나게 한다"라는 선언의 주술성을 뒷받침해 주지 못하고 있다.

「거위 소리」와 비교할 때, 1966년 1월에 발표된 「눈」은 '사건으로서의 시'와 '구조로서의 시'가 훨씬 더 긴밀하게 결합되어 있는 작품이다.

눈이 온 뒤에도 또 내린다

생각하고 난 뒤에도 또 내린다

응아 하고 운 뒤에도 또 내릴까

한꺼번에 생각하고 또 내린다

한줄 건너 두줄 건너 또 내릴까

廢墟에 廢墟에 눈이 내릴까

—「눈」 전문

「거위 소리」의 경우와 마찬가지로 이 시에서도 '폭로적인 자기분석'의 흔적을 찾을 수 없는데, 작품에서 화자는 어떤 사건에 대해 보고하고 있다. 그 사건은 '폐허에 눈이 내린다'는 것이다. 첫행에서도 알 수 있듯이 이 시는 현실의 경험 세계에 기반하고 있다. 지속해서 눈이 내리는 모습이 작품에 수용되면서 그것은 하나의 사건으로 자리잡기 시작하는데, 그런 사건화에 기여하는 것은 바로 작품의 구조이다. 첫째 행과 둘째 행에서 두 번 반복되는 "또 내린다"에 이어지는 "또 내릴까"는, 넷째 행에서 다시 반복되는 "또 내린다"로 인해, 회의하는 의문이 아니라 확신하는 강조가 된다. 이어서 다섯째 행과 여섯째 행에서도 반복되는 '내릴까'는, 그처럼 확신하는 강조의 문맥을 점층적으로 강화하면서 작품의 결구인 마지막 행에 이르러 마침내 '폐허에 눈이 내린다'는 사건을 성취한다. 인간의 삶의 터전으로서 기능을 상실한 '폐허'는 대지의 상처이자 세계의 상처이기도 하다. 그런 폐허에 내리는 눈은 단순한 자연 사물이 아니라 주술적 치유력을 지닌 신의 선물이 된다. 그 하얀 선물에 덮여 그 검고 황폐한 상처는 아마도 치유될 수 있을 것이다. 이 시에서 구축된 사건은, 그러므로, 단순히 '폐허에 눈이 내린다'는 사실이 아니다. 쉽사리 화해될 수도 극복될 수도 없는, 폐허로 상징화되는 상처가 주술적 치유력을 지닌 눈에 의해 새하얗게 치유되는 것, 그것이 바로 이 시에서 성취된 본질적 사건이다. 시에서 성취된 사건은 현실의 경험 세계에서도 성취될 어떤 것을 환기시킨다. 시가, 나아가 예술이 양탄자와 같은 단순한 장식적인 아름다움에서 벗어나 그 어떤 진리 내용에 도달할 수 있는 근거도 이제까지 존재한 적이 없는 어떤 것의 존재 가능성을 그와 같이 작품 자체를 초월함으로써 환기시키는 데 있을 것이다. 그런데 이 시에는 우리가 작품에서 구축된 사건과 함께 주목해야 할 다른 사항이 있다. 그것은 서로 다른 세 가지 차원의 동시적 결합 혹은 겹침이다. 지속해서 눈이 내리는 풍경, 그 간단없이 쏟아져 내리는 눈의 리듬이 불러일으키는 연상, 그리고 그 양자를 하나의 시의 구조 속으로 통합하는 시의 기술 행위가 밀착해 있는 것이다. 이 시에서 언어는 풍경이나 시인의 생각을 묘사하는 단순한 수단에 머무르지 않고 풍경과 생각을 통합할 뿐만 아니라 작품에서 구축된 사건의 주술성에 참여한다.

위에서 분석한 「눈」의 특질을 좀더 분명히 하기 위해 우리는 이 작품과 1956년에 발표된 같은 제목의 다음 작품을 비교해 볼 필요가 있다.

눈은 살아있다
떨어진 눈은 살아있다
마당 위에 떨어진 눈은 살아있다

기침을 하자
젊은 시인이여 기침을 하자
눈 위에 대고 기침을 하자

눈더러 보라고 마음놓고 마음놓고
기침을 하자

눈은 살아있다
죽음을 잊어버린 靈魂과 肉體를 위하여
눈은 새벽이 지나도록 살아있다

기침을 하자
젊은 시인이여 기침을 하자
눈을 바라보며
밤새도록 고인 가슴의 가래라도
마음껏 뱉자

—「눈」 전문

폭로적이라고 말할 수는 없지만, 위의 시 역시 '자기분석'에 근거한 작품이다. 밤새 내린 눈이 새벽이 지나도록 녹지 않고 있는 모습이 마치 살아있는 것처럼 보인다는 인상이 삶의 생기를 잃어버린 것과도 같은 자신의 모습에 대한 분석(반성)에 이르게 하고, 그러한 반성을 통해 비록 미미하나마 살아있다는 표시를 보이자고 다짐하는 구도로 되어 있는 것이 위의 시이다. 김수영은 1957년에 발표한 「폭포」와 관련해서 그 작품이 '懶惰와 安定을 배격한 시'라고 피력한 바 있는데, 위의 작품 역시 「폭포」와 동일한 맥락에서 읽을 수 있을 것이다. 그런데 위의 시에서 눈의 살아있음은 "살아있다"라는 서술의 반복에도 불구하고 작품의 구조 안에서 살아있음의 구체적 형상에 이르지 못하며 결국엔 '살아있음'의 생생한 힘을 얻지 못한다. 이러한 사정은 「폭포」에서도 거의 그대로 확인된다. 위의 시에 비해 묘사의 생동감이 더 강화되긴 했지만, 「폭포」에서 "곧은 絶壁을 무서운 기색도 없이 떨어"지는 물의 형상과 힘은 "高邁한 정신"이라는 관념으로 희석됨으로써 그 생생함을 잃는다. 이들 두 작품과 비교할 때, 앞에서 분석한 「눈」(1966)에서 언어는 풍경을 묘사하고 생각을 서술하는 수준 이상의 어떤 작용력(주술적인 힘)을 보여준다.

3.

이상의 분석에서도 확인되다시피, 「눈」과 「거위 소리」는 여러 측면에서 '폭로적인 자기분석'의 계열에 속하는 작품들과는 차이를 보이고 있다. 1967년에 발표한 「꽃잎1」과 「꽃잎2」 그리고 「미인」도 같은 계열에 포함시킬 수 있겠는데, 그 작품들은 1960년대에 발표된 것으로 김수영 시의 주류를 이루는 이른바 '폭로적인 자기분석'의 시들과는 그 성격이 다르다. 그것들은 현실의 경험 세계에서 이끌어온 요소들을 언어의 의미론적 자질과 비의미론적 자질의 충돌과 긴장을 통해 새로운 짜임관계 속에 놓이게 함으로써 작품 그 자체의 완성으로 나아가려는 방향성을 지닌 것들이라 할 수 있다. 김수영의 전체 작품들을 놓고 볼 때, 그러한 방향성을 보여주는 작품으로 가장 대표적인 경우는 「풀」이다.

풀이 눕는다.
비를 몰아오는 동풍에 나부껴
풀은 눕고
드디어 울었다
날이 흐려서 더 울다가
다시 누웠다

풀이 눕는다
바람보다도 더 빨리 눕는다
바람보다도 더 빨리 울고
바람보다도 먼저 일어난다

날이 흐리고 풀이 눕는다
발목까지
발밑까지 눕는다
바람보다 늦게 누워도
바람보다 먼저 일어나고
바람보다 늦게 울어도
바람보다 먼저 웃는다
날이 흐리고 풀뿌리가 눕는다

—「풀」 전문

이 작품의 해석과 관련하여 최초로 제기된 견해는 이른바 민중주의

자들의 것으로 알려진 해석의 유형이다 : 민중론자들은 작품에 잠재된 것으로 보이는 알레고리적인 맥락을 포착해 내어 '풀'을 민중으로, '바람'을 외세로 파악한다. 작품 자체에 대한 응시의 귀결이면서도 작품 외부에 존재하는 관념을 지나치게 작품 내부로 이끌어들인 그 해석은 일견 분명해 보이는 장점을 지니고 있긴 하지만 다음과 같은 내재 분석에 입각한 반론의 저항에 부딪치게 된다.

> 그것은 풀이라는 생물의 생태가 "비를 몰아오는" 바람과 흐린 날을 싫어해 울 리가 없으리라는 것, "나부껴" "드디어"라는 표현을 선택한 것도 풀이 바람을 배척하는 움직임이라기보다는 긍정적인 기다림으로 볼 수 있다는 점 등이다. 또한 외세인 바람과의 관계에서도 '바람보다 더 빨리 누워우는' 것이 꼭 바람을 물리친 의미가 되지는 못할 것이며, 일어나 웃어야 승리하는 풀이 마지막 행에서 풀뿌리까지 누워버리는 것은 풀이 곧 민중이라는 해석의 일변도에 어느 정도 제재를 가한다.[6]

모든 텍스트는 무한한 독서를 야기시키면서도 엉뚱한 독서를 허용하지는 않는다. 한 텍스트에 있어 무엇이 가장 좋은 해석이라고는 말할 수 없지만 무엇이 그릇된 해석이라고는 말할 수 있다. 가냘프면서도 끈질긴 생명력으로 질기게 견뎌나가는 민초의 이미지로 '풀'을, 외세나 정치적 압제의 의미로 동풍과 비바람을 읽어내려는 알레고리적 해석은 위와 같은 반론(결국은 작품 자체의 저항)을 견뎌낼 수 없다는 점

6) 이은정, 「상반된 해석」, 『김수영 다시 읽기』, 김승희 편, 프레스21, 2000, p.423.

에서 '그릇된 해석'이라고 필자는 생각한다. 따라서 우리는 관점을 전환할 필요가 있다.[7]

어떤 알레고리적 맥락에 연연하지 않고 우선 작품 자체에 주목하게 될 경우 우리는 이은정의 다음과 같은 진술에 동의할 수 있다 : "이 시를 읽으면 우선 풀, 비, 바람이 상기하는 신선함과 습기에 찬 초록빛 등이 떠오른다. 따뜻함보다는 시원한 냉기, 정적인 풍경보다는 나부끼는 풀의 부드러운 움직임, 소리 없음 속의 흐릿한 어두움, 살아 움직임들을 감지하게 된다. 그리고는 대조되는 동사들, 반복의 기법, 리듬과 운 등에 맞추어 읽어나가다가 오히려 통사적인 의미파악을 놓치게 된다."[8] 야우스(H.R.Jauss)의 '독서 지평 전환'에 근거한 이은정의 기술(記述)은, 「풀」을 읽는 것으로 가정된 독자의 순차적인 독서반응을 매우 설득력 있게 제시하고 있는데, 다음 단계의 기술도 매우 효과적으로 제시되어 있다.

> 세 개의 연은 "풀이 눕는다"를 공통 행으로 지니면서 새로운 동사를 추가한다. 1연은 '눕는다/울다', 2연은 '눕는다/울다/일어나다', 3연은 '눕는다/일어나다/울다/웃다'로 부연된다. 추가되는 동사에 의해 의미는 단조

---

7) 이러한 전환과 관련하여 대안적 해석의 경우로 제시된 예가 바로 황동규의 견해이다. 황동규는 스스로 움직일 수 없는 풀의 움직임이 움직임의 동력이 되는 바람보다 앞선다는 모순율이 모순으로 느껴지지 않게 되는 상태에 이르는 과정을 보여줌으로써, 생의 깊이와 관련한 어떤 감동을 맛보게 하는 시라고 주장한다. 구체적인 분석의 절차 없이 시인 특유의 직관만으로 포착해낸 까닭에 지나치게 맹목적이라는 흠은 있지만, 그의 견해는 작품의 진실과 관련하여 결코 무시할 수 없는 통찰을 보여주며, 실제로 분석의 절차를 추가한 많은 해석의 이형(異形)들을 가능하게 하는 근거가 되었다. 필자 역시 그의 견해에 크게 도움을 받았다.
황동규, 「시의 소리」, 『사랑의 뿌리』, 문학과지성사, 1978, pp.156~157. 참조.

8) 이은정, 앞의 논문, 김승희 편, 앞의 책, pp.421~422.

로움으로 전복되지 않고 강조와 주술의 의미를 획득한다. 즉 풀이 누워서 울다가 → 일어나서 → 웃는 과정을 반복과 대조로 점진적으로 표현하고 있으며, 마지막 행에서 다시 "풀뿌리가 눕는 것은" 풀의 연속적인 경험의 노정을 암시해 준다. 그러면서 몇몇 미해결점이 상기된다. 김수영 같은 도시적 정서의 시인이 자연물을 새롭게 소재로 삼은 점은? 풀이 '눕고/일어나고' '울고/웃는' 대조적인 의미는? 풀과 바람의 관계는? '발목/발밑'은 풀의 의인화인가 사람이 함께하는 풍경인가? 끝행에서 풀이 풀뿌리로 전환된 의미는?[9)]

위의 인용문에서 특별히 주목되는 부분은, 작품의 구조에 대한 객관적 관찰 다음에 제시된 다섯 개의 질문들이다. 아마도 어떠한 유형의 해석학적 접근이든 그러한 질문들에 대해 충분한 설명을 개진하지 못한다면 그 해석은 공허해지게 될 것이다. 그런데, 이은정이 제기한 질문들 가운데 첫번째 질문은 다소 무의미해 보인다. 김수영은 「풀」 이외에도 자연물을 소재로 적지 않은 작품을 발표하였으며, 「풀」을 이해하는 데에도 그 질문이 그렇게 본질적인 것으로 판단되지 않기 때문이다. 이와 아울러 '발목/발밑'과 관련한 질문 역시 그 해답이 비교적 분명하게 제시될 수 있다는 점에서 그렇게 본질적인 것으로 보이지는 않는다. 작품에서 '풀'은 의심할 바 없이 의인화되어 있으나 '발목'과 '발밑'을 '풀'의 그것으로 보기에는 아무래도 무리가 따른다. 사람이 눕는 동작을 묘사할 때 그것이 그 어떤 모양의 것이든 '발목

9) 이은정, 앞의 논문, 김승희 편, 앞의 책, p.422.

까지, 발밑까지 눕는다'라고 한다면 자연스럽지도 적절하지도 않은 표현이 될 것이기 때문이다. 그 구절은, 김현의 지적대로, 풀밭에서 풀의 움직임을 관찰하는, 나아가 풀의 움직임을 통해 어떤 것을 체험하고 그 내용을 발화하는 한 인물의 존재를 암시하는 것으로 보아야 타당할 것이다.[10]

그들 두 가지를 제외한 나머지 질문들은 「풀」의 해석에서 매우 본질적인 것으로 우리는 받아들일 수 있다. 그리고 그것들은 작품 자체에 대한 미시적 분석과 함께 풀어나가야 할 것들이지만, "풀이 '눕고/일어나고' '울고/웃는' 대조적인 의미"의 경우는 기존의 것과는 다른 관점으로 「풀」에 접근하기 위해 잠시 미리 살펴볼 필요가 있다. 작품을 검토해 보면 현실의 경험 세계의 맥락과 관련한 몇 가지 대립항들이 있음을 알게 된다. '풀'과 그 움직임의 동력원인 '바람'의 대립, 그리고 흔히 지적되어 온바, '눕고/일어나고'와 '울고/웃는'에서 동작의 양태상 대립이 바로 그것들이다. 그런데 이제까지 별로 주목된 적이 없는 대립항이 하나 더 있다. 그것은 바로 '나부끼다'와 '눕다/일어나다/울다/웃다' 사이의 대립이다.[11] 이들 다섯 개의 동사는 모두 풀의 움직임을 묘사한 것이라는 점에서는 동일하다. 차이점은, '나부끼다'가 사실적인 묘사인 반면에 그 밖의 다른 것들은 의인화를 통한 비유적 묘사라는 것이다.[12] 「풀」의 분석에서 이 새로운 대립항에 대한 주목은 매우 중요하다. 왜냐하면, '눕고/일어나고'와 '울고/웃는'의 의

10) 김 현, 「웃음의 체험」, 전집 별권, p.211.
11) 강웅식, 「'사실'과 '환상'의 대극적 긴장」, 『시, 위대한 거절』, 청동거울, 1998, pp.212~228.
12) 전자는 수동적인 동작을, 후자는 능동적인 동작을 각각 나타낸다.

미상 대립이 보다 심층적인 대립구도(풀의 타율적인 움직임과 자율적인 움직임의 대립) 속에서 완화되기 때문이다. '눕다, 일어나다, 울다, 웃다'라는 각각의 동작은, 그 의미상의 차이 자체가 무화되는 것은 아니지만, 적어도 상호 부정적인 차원의 대립에서는 벗어나게 되는 것이다.

풀밭에 서서 풀의 움직임과 관련한 어떤 체험을 발화하고 있는 인물의 존재, 그리고 작품의 보다 심층적인 대립항인 풀의 '타율적인 움직임'(나부끼다)과 '자율적인 움직임'에 근거할 때 우리는 작품에서 또 하나의 심층 대립항을 찾아낼 수 있다. 그것은 바로 '사실'(풀의 타율적인 움직임)과 '환상'(풀의 자율적인 움직임)의 대립이다.[13] 작품에서 한 인물은 풀이 바람에 나부끼는 모습을 보고 있다. 그런데 그 순간 사실의 관찰에서 촉발된 환상, 즉 바람 없이도 풀이 스스로 움직이는 것 같은 환상을 체험하고 그 인물은 그것에 대해 말한다. 더 나아가 그 인물은 그 환상을 하나의 사건으로까지 확정해 놓으려는 듯하다. 따라서 「풀」의 분석에서 관건이 되는 것은 낱말들로 만들어진 구조로서의 시와 사건으로서 시 사이에 빚어진 관계에 대한 고찰인데, 특별히 주목해야 할 것은 바로 '환상'이 시와 사건 양자에 대해 갖는 관계이다. 우리 시사의 맥락에서 「풀」이 그 어떤 독창성을 지니고 있다면 그것은 바로 그 '환상'에서 비롯한다. 바꾸어 말하면 '환상'은 「풀」의 독창성의 매체라 할 수 있다. 「풀」이라는 예술 작품을 탄생하게 한 하

13) 이 글에서 필자는 '환상'을 현실과는 다른 어떤 것, 즉 현실의 경험 세계에 대한 '타자'(他者)의 의미로 사용하였다. 예술 창작에서 그러한 환상은 '착상'과 같은 방식으로 작품의 주요한 구성적 계기로 참여한다. 그러나 착상으로서의 환상과 작품 자체가 동일하지 않음은 물론이다. 하나의 작품이 성립될 수 있는 주요한 계기로서 시인의 착상에 근원적인 영향을 미친 '환상'은 그 작품의 형상화 과정에서 다양한 형식적 계기를 통해 일관성과 명료함을 지닌 작품 자체로 전이될 것이다.

나의 시발점이었던 그 '환상'은 형상화 과정에서는 현실적인 요인들을 받아들여 하나의 작품이라는 결정체를 이루게 하는 구성적 계기로서 작용하게 된다.

이 작품의 시발점은 풀의 자율적인 움직임이라는 환상이며, 그것은 현실에서 풀이 바람에 나부끼는 모습(사실)에 대한 관찰에서 비롯한 것이다. 그리고 이 작품의 형상화를 통해 그 환상은 하나의 사건으로 구축되고 있다. 작품에서 '풀이 눕는다'는 화자의 언표는 풀의 자율적인 움직임의 모습을 진술한 것이지만 그 언표를 발화하는 화자의 발화행위는 언표가 지시하는 내용을 하나의 사건으로 확정해 놓으려는 선언의 행위이기도 하다. "풀이 눕는다"는 언표를 우리는 '풀이 눕는다(스스로 움직인다)고 이로써 단언한다' 라는 심층 구조의 문맥으로 변형시킬 수가 있는데, 의인법을 적용한 언표와 그것의 무한한 반복은 하나의 환상을 구체적인 사건으로 승화시키게 되는 것이다. 이 작품의 구성적 계기로 수용된 것들, 즉 '풀', '바람', '흐린 날', '비', 그리고 '눕다, 울다, 일어나다, 웃다'의 동사가 연상시키는 무수한 움직임의 양태들은 모두 현실의 것들이지만, 환상을 매개로 하여 작품 자체 안에서 특유한 짜임관계를 갖게 되자 그것들은 현실의 경험 세계에서와는 다른 위치를 갖게 되고 그 의미가 조금씩 변하게 된다. 움직임을 중심으로 한 바람과 풀의 관계를 '더 빨리', '먼저', '늦게' 등의 부사를 통해 교란시키고 있는 것에서도 볼 수 있듯이, 작품에서 현실의 공간이나 시간이 완전히 무시되는 것은 아니기에 그것의 힘이 근본적으로 부정되는 것도 아니다. 그러나 놀랍게도 그 구속성은 사라지게 된다. 동일한 문장형태의 반복이나 운율과 같은 비의미적 언어조직을 통하여 시간이 압축되고, 풀이 바람에 나부끼는 모습에서 비롯한 풀의 자율적인 움직임이라는 영상을 통하여 공간이 겹쳐짐으로써 이제까지 존재하지 않았던 어떤 것이 제시되는 것이다. 그런데 만일 "날이 흐리고 풀뿌리가 눕는다"라는 형태의 결구 없이 사실에서 비롯한 환상의 반복으로 단순하게 끝을 맺었더라면, 「풀」은 이미 존재하는 것의 무력한 투사에 머물게 되고 말았을 것이며, 현재와 같은 강도를 결코 누리지 못했을 것이다. 그 문제의 구절에서 암시되는 풀의 움직임은 현실의 그 어떠한 움직임의 형상과도 교환이 성립되지 않는 것이다. 풀뿌리의 움직임이란 현실의 경험세계에서는 가시적으로는 경험할 수 없는 어떤 것이기 때문이다.

시인이 구축해 놓은 결구의 사상은 심원하고 그 진리 내용은 깊다. 거기에는 김수영이 즐겨 사용했던 말인 '죽음'과 '자유'와 '침묵'과 '사랑'이 계기적인 요소로 함께 작용하고 있다. 우리는 시인이 그 구절에 이르러 풀의 자율적인 움직임이라는 영상을 포기했다고는 볼 수 없다. 가시적인 어떤 것과 직접 연결시킬 수는 없지만, '풀뿌리'의 움직임을 '날이 흐리고'와 연계시키고 또한 환상의 출발점이었던 '눕는다' 라는 동작의 양태로 수용하고 있기 때문이다. 바람의 속박에서 벗어난 자율적인 움직임이 연상시키는 '자유'에 대한 동경이 여전히 강력하게 작용하고 있는 것이다. 문제는 그러한 자유를 추구하는 방법이다. 이 작품에는 그런 자유를 가능하게 하기 위한 죽음의 울림이 있다. 현실의 경험세계의 그것과는 교환이 되지 않는 어떤 움직임으로 나아감으로써 작품의 짜임관계 속에서 풀은 이 부분에 이르러 비로소 현실의 그것과는 다른 풀이 된다. 다시 말해 현실적인 생명체의 죽음을 통해 그 어떤 다른 것이 되는 것이다. 이와 함께 현실에서 풀이 바람에 나부끼는 사실에 대한 체험의 직접성이 사라지게 되고, 그러한 사실에서 비롯한 환상을 성립시킨 매개였던 바람의 구속력도 함께 사라지게 된다. 그러나, 앞서도 지적했듯, 그 구절은 '풀뿌리'의 움직임을 '날이 흐리고'와 연계시키고 또한 환상의 출발점이었던 '눕는다'라는 동작의 양태로 수용하고 있다는 점에서 어떤 연관 관계에 근거한 듯하지만 그러한 연관 관계를 명백히 보여주지 않는다. 경험 세계의 총체적인 속박을 부정하는 초월적 암호로서 '풀뿌리'의 자율적인 움직임의 근거에 대해서도, 그것이 가리키는 구체적인 의미에 대해서도 침묵하고 있는 것이다. 이때 침묵은 무의미한 공허가 아니라 "아무도 하지 못한 말"이 생성되기 시작하는 지반으로서의 그것이다.[14] 우리는 그 "아무도 하지 못한 말"을 듣기 위해, 그리고 그 의미를 이해하기 위해 그 마지막 구절이 인도하는 침묵의 집인 「풀」 그 자체로 끊임없이 되돌아와야 하는 것이다.

---

14) 김수영은 「시여, 침을 뱉어라」라는 산문에서 다음과 같이 말한 바 있다 : "시도 시인도 시작하는 것이다. 나도 여러분도 시작하는 것이다. 자유의 과잉을, 혼돈을 시작하는 것이다. 모기소리보다도 더 작은 목소리로 시작하는 것이다. 모기소리보다도 더 작은 목소리로 아무도 하지 못한 말을 시작하는 것이다. 아무도 하지 못한 말을. 그것을". 흔히 우리는 이 구절을 언론자유의 행사와 같은 내용의 맥락에서 파악하는 경향이 있다. 그러나, 「시여, 침을 뱉어라」라는 산문의 전체 맥락에 근거할 때, '아무도 하지 못한 말'은 내용뿐만 아니라 형식의 맥락에서도 적용되는 것이며, 더 나아가 구분될 수도 절충될 수 없는 내용과 형식의 '대극적 긴장'에 의한 통일로서 작품 그 자체의 발화를 가리키는 것으로 보아야 할 것이다.
김수영, 전집 2, p.254.

4.

"그의 시는 단시적 완성의 의도적 훼손과 개칠이 없는 일회적 정직의 순간에 대한 지향이 상처 낸 선혈로 흥건하다"는 유종호의 견해는 김수영 문학에 대한 하나의 유효한 관점을 제공한다. 그러나 김수영이 작품의 미학적 완성에 대해 무관심했으며 그 이유는 "그에게 중요했던 것은 시의 완성이 아니라 양심의 살아있는 詩化였기 때문이"라고 보는 견해는 수정될 필요가 있다. 왜냐하면 "양심의 살아있는 시화"를 통하여 김수영이 궁극적으로 지향했던 것이 바로 "시의 완성"이었기 때문이다. 이러한 이해의 근거로서 우리는 김수영 자신의 다음과 같은 진술을 제시할 수 있다.

> 언어의 윤리라면 좀 이상하게 들릴지 모르지만, 현대시에 있어서 언어의 순수성이 현대사회에 있어서의 시인의 순수고독과 동의어의 관계에 있다는 것은(이것은 쇼의 「符號」나 「詩」 같은 작품을 읽어보면 알 수 있을 것이다)두말할 것도 없이 현대의 시인이 이행하고 있는 언어의 순수성이 사회적 윤리와 인간의 윤리를 포함할 수 있을 만한(혹은 排除할 수 있을 만한) 적극적인 것이어야 한다는 말이 된다.[15]

우리 근대문학사의 맥락에서 '참여시'와 '순수시'의 변별 기준이 되는 '언어의 순수성'은 정치성의 유무와 관련이 있다. 그러나 위의 인

15) 김수영, 전집2, p.400.

용문에서 김수영이 말하고 있는 '언어의 순수성'은, 그것이 '사회적 윤리'와 '인간의 윤리'에 연결된다는 사실에 근거할 때, 세계나 현실의 타락과 불의에 대한 보편적 부정과 절대적 비순응주의의 표현 매체로서 언어가 갖는 순수성을 가리키는 것으로 보인다. 김수영에게, '양심의 살아있는 시화'와 '시의 완성'은 두 가지 가능한 선택 사항이 아니라 필연적 과정의 절차였던 것이다. 다시 말해 그는 '양심의 살아있는 시화'가 전제되지 않고서는 결코 '시의 완성'에 도달할 수 없다고 보았던 것이다. 왜냐하면 '양심의 살아 있는 시화'가 전제되지 않을 때, '시의 완성'이란 한낱 고급 수사학 연습에 불과한 것이 되고 말 것이기 때문이다.

여기서 우리는 비로소 김수영의 전체 시세계에서 「풀」이 놓인 자리에 대해 규정해 볼 수 있게 된다. 앞선 논의를 통하여 우리가 확인하였듯이, 「풀」에서는 현실의 경험세계에서 비롯한 체험과 통찰에 근거하여 현실의 경험세계의 그것과는 교환이 성립되지 않는 어떤 움직임이 하나의 사건으로 구축되고 있으며, 작품 이외의 어떤 것이 아니라 작품을 이루는 다양한 구성적 계기들의 짜임관계 그 자체가 바로 그 사건화의 증인이 되고 있다.[16] 그런 「풀」이 폭로적인 자기 분석의 시편들로 이루어진 지형도가 아닌 다른 성격의 지형도 위에 놓이게 될 경우, 「풀」에서 현재 우리가 누리고 있는 것과 같은 강도의 감동은 불가능하게 될 것이다. 폭로적인 자기분석이 아니라 시의 완성을 지향

16) 필자가 보기에, 1950년대에 씌어진 김수영의 수작 가운데 하나인 「폭포」는 「풀」의 완성도에 이르지 못한 작품이다. 「풀」에서는 오로지 작품 자체가 하나의 사건이 되고 있지만, 「폭포」의 경우는 '고매한 정신'이라는 추상적 관념을 통해 사건이 설명되고 있기 때문이다.

한「풀」이 김수영의 마지막 작품이었다는 것은 그에게 하나의 행운이었다. 그러나 그것을 결코 '행복한 시간의 우연'이라고 볼 수는 없다. 김수영에게 폭로적인 자기분석을 통한 '양심의 살아있는 시화'는 '시의 완성'에 이르기 위한 필연적인 통과제의였으며,「풀」은 그 통과제의를 통해서만 비로소 도달할 수 있었던 하나의 극점이기 때문이다.

윤리적 주체와 자기 촉발의 힘

— 김수영의 시 「풀」에 대하여

1.

이 글의 목적은 김수영의 시 「풀」을 새롭게 검토하려는 데 있다. 「풀」에 대한 기존의 해석들을 참조하면서 그것들과는 다른 해석을 제시하고자 하며, 「풀」이 김수영의 전체 시세계에서 차지하는 위치에 대해서도 나름의 새로운 생각을 개진하고자 한다.

이미 잘 알려진 바와 같이 1968년 6월 16일에 불의의 사고로 유명(幽明)을 달리하기까지 김수영이 세상에 남긴 작품들 가운데 「풀」(1968. 5. 29)은 그의 마지막 작품이다. 대개의 경우 마지막 작품이라고 해서 그것이 한 시인의 최고작이나 대표작으로 평가되는 것은 아니다. 그런데 김수영의 경우에 「풀」은 독자들에게 가장 널리 알려져 있다는 의미에서 그의 대표작이 되었고,[1] 많은 연구자들에게는 그의 최고작으로 평가되고 있다. 거기에는 나름의 이유가 있겠으나 그것이 작품 자체를 이해하고 평가하는 데 결정적으로 중요한 단서가 되지는 않을 것이다. 우리에게 문제는 작품 자체에 대한 이해와 평가이다. 우리의 문제를 풀어가는 과정에서 「풀」이 독자들에게 가장 인지도가 높은 대표작이라는 사실은 그렇게 중요한 고려의 대상이 되지 못한다. 작품 외적인 요인이 한 작품을 그 시인의 대표작으로 만들 수도 있기 때문이다. 그러나 「풀」이 김수영의 최고작으로 평가된다는 사실은 소홀하게 다루어질 사안이 아니다. 한 시인의 최고작은 어디까지나 작품 그 자체에 대한 해석과 평가를 근거로 선정되어야 하기 때문이다.

「풀」이 김수영의 작품들 가운데 그 완성도 가장 높은, 그의 문학의 극점이라는 평가에는 많은 연구자들이 동의한다.[2] 이 글의 관점 역시 그 견해를 수용한다. 그런데 「풀」이 김수영의 대표작이자 최고작이라는 평가의 타당성을 증명하기 위해서는 적어도 다음과 같은 사항들에 대한 해명이 수반되어야 한다. 첫째, 「풀」에 관한 유일의 해석일 수는 없겠으나, 작품 자체에 근거하여 누구나 수긍할 만한 해석의 의미체가 어떤 형태로든 구체적으로 제시되어야 한다.[3] 둘째, 「풀」이 어째서

1) 김수영의 「풀」은 현재 7종의 고등학교 문학교과서에 실려 있다. 아래의 책 참조.
이남호, 『교과서에 실린 문학작품을 어떻게 가르칠 것인가』, 현대문학, 2001, p.186.

2) 김종철, 김주연, 김준오, 김현, 김혜순, 서준섭, 오규원, 이시영, 정과리, 정현종, 황동규 등의 시인과 평론가 이외에도 많은 연구자들이, 「풀」이 김수영의 대표작이자 최고작이라는 사실에 동의한다.

3) 「풀」과 관련하여 "내적 자유에 이른 공간"(정현종), "민중을 감춘 실존적 상징의 의미"(김준오), "정신편력의 한 극점"(김현), "김수영 생애의 한 귀결이었으며 동시에 새로운 삶을 위한 절대적 긴장"(정과리) 등과 같이 다소 모호하고 추상적인 개념 규정의 사례는 많지만, 구체적인 작품 해석을 제시한 사례는 드물다.

완성도가 높은 작품인가에 대한 구체적인 설명이 제시되어야 한다. 셋째, 김수영의 다른 작품들과 비교하여 어째서 「풀」이 더 나은 작품인가에 대한 판단의 근거가 제시되어야 한다. 「풀」과 연관된 논의들을 검토한 결과, 이상에서 제시한 세 가지 사항들 가운데 어느 하나를 부분적으로 다룬 논의는 많았으나 그것들 모두를 함께 고려한 논의는 거의 없었다고 판단된다. 본문에서는 기존의 논의들을 참조하면서 그 세 문제들에 대해 검토함으로써 이 글의 목적을 달성하고자 한다.

2.

본고의 이 부분에서는 「풀」에 관한 나름의 새로운 해석을 제시하기 전에 기존의 해석들을 먼저 살펴보고자 한다. 아래에서 보는 바와 같이 「풀」은 김수영의 작품들 가운데에서는 비교적 짧고 단순한 형태로 되어 있다.

풀이 눕는다.
비를 몰아오는 동풍에 나부껴
풀은 눕고
드디어 울었다
날이 흐려서 더 울다가
다시 누웠다

풀이 눕는다
바람보다도 더 빨리 눕는다
바람보다도 더 빨리 울고
바람보다도 먼저 일어난다

날이 흐리고 풀이 눕는다
발목까지
발밑까지 눕는다
바람보다 늦게 누워도
바람보다 먼저 일어나고
바람보다 늦게 울어도
바람보다 먼저 웃는다
날이 흐리고 풀뿌리가 눕는다

—「풀」 전문

「풀」에 관한 해석들 가운데 가장 널리 알려져 있는 것은, '풀'과 '바람'을 각각 민중과 억압세력으로 보는 우의적(寓意的) 해석이다.[4] 그와 같은 우의적 해석에는 나름의 근거가 있다. 대개의 경우 우의(寓意)의 맥락은 뜻 겹침의 구조로 되어 있으며, 그 구조는 〈a가 b와 맺는 관계는 c와 d가 맺는 관계와 같다〉는 유비관계를 바탕으로 한다.

---

4) 「풀」에 관한 우의적 해석은 흔히 '민중론자'들의 견해로 알려져 있다. 그러나 누가 언제 어떤 지면을 통해 그러한 의견을 개진했는지에 대해서는 구체적으로 밝혀진 바가 없다. 그럼에도 그 해석은 「풀」을 게재한 고등학교 문학교과서들이 모두 채택하고 있을 만큼 작품에 관한 유효한 통찰로서 폭넓게 수용되고 있다.

「풀」에 관한 우의적 해석의 중추는, 작품에서 풀과 바람이 맺는 관계는 현실에서 민중과 억압세력이 맺는 관계와 같다는 것이다. 이 유비관계의 단서는 "비를 몰아오는 동풍에 나부껴/풀은 눕고/드디어 울었다/날이 흐려서 더 울다가/다시 누웠다"라는 대목이다. 그 우의적 해석은, 그 대목에서 풀이 눕는 것은 바람에 의해서 풀이 땅으로 기울어지는 모습을 묘사한 것으로, 풀이 우는 것은 바람이 세차게 불 때 풀이 땅으로 심하게 기울었다가 또 조금 일어서면서 마구 흔들리기도 하는 모습을 묘사한 것으로, 그리고 비바람이 불고 있으며 날이 흐리다는 것은 풀이 처한 상황의 암울함을 묘사한 것으로 본다. 따라서 「풀」의 1연은 비바람에 휩쓸려 풀이 마구 흔들리다가 땅으로 휘어지곤 하는 모습을 묘사한 것이 된다.

'비를 몰아오는 바람'을 뜻하는 '비바람'은 대체로 강한 느낌을 주며, '시련'이나 '역경'과 같은 것을 연상시킨다. 눕는 동작은 일어나는 동작에 비해 상대적으로 수동적인 느낌을 주며, '패배'나 '좌절'과 같은 것을 연상시키기도 한다. 흐린 날씨는 맑은 날씨에 비해 상대적으로 어둡고 슬픈 느낌을 주며, '불행'이나 '시련'이 지속되는 상황을 연상시킨다. 「풀」의 우의적 해석은 이상과 같은 사실들에 근거하여 '풀'과 '바람'의 관계를 '민중'과 '억압세력'으로 설정한 다음, 작품에서 풀이 눕는 동작이 일어나는 동작보다 더 많이 반복됨에도 불구하고 오히려 일어나는 동작이 더 강하게 느껴지는 점에 주목한다. 그 해석에 따르면, 「풀」은 어떤 억압세력에도 굴복하지 않는 끈질긴 생명력의 존재인 민중에 대한 깊은 이해를 보여주며, 민중과 억압세력의 관계를 보다 구체적으로 보다 실제적으로 또 보다 설득력 있게 말해

주는 작품이 된다. 또한 「풀」이 하나의 예술작품으로서 높은 수준에 이르렀다고 평가할 수 있는 이유는, 민중을 무조건 긍정하지 않고 그 부정적 속성까지도 포용하면서 긍정하기 때문이라는 것이다. 다시 말해 억압세력에 짓눌려 늘 고통을 당하고 늘 좌절하며, 억압하기도 전에 먼저 비굴해지기도 하고 먼저 겁먹기도 하고 또 허약하기도 하지만, 긴 시간을 두고 전체적으로 보면 그러면서도 늘 삶을 이어갈 뿐만 아니라 때로는 억압세력을 압도하기도 하는 민중의 모습을 바람에 흔들리는 풀의 모습에 대한 섬세하고도 구체적인 형상화를 통해 성공적으로 제시하기 때문이라는 것이다.[5)]

이상에서 살펴본 우의적 해석은 작품에 관한 비교적 분명한 의미체(意味體)를 제시하며, 나름의 타당한 근거를 확고하게 갖추고 있는 것처럼 보인다. 그러나 작품을 곰곰이 살펴보면 그 해석에는 많은 무리가 있다는 것을 알게 된다. 무엇보다 먼저 "비를 몰아오는 동풍"을 곧바로 '비바람'으로 치환하여 이해하는 문제를 보자. '비바람'이란 낱말의 뜻이 '비를 몰아오면서 부는 바람'이니 문제될 것이 전혀 없어 보이기도 하지만, 그렇게 이해하면 "비를 몰아오는 동풍"의 뜻이 지나치게 일방적으로 고정되어 버린다. 동풍(東風)의 글자 그대로의 뜻은 동쪽에서 불어오는 바람이지만, '동풍삭임에 돌아온 제비'라거나 '동풍신연(東風新燕)'이라는 구절에서도 확인되듯 그것은 봄바람을 가리킨다. 봄에 곡식이 자라는 데 필수적인 자양분이 되는 비를 몰아오는 바람이라고 하여 곡풍(谷風)이라고도 불리는 것이 바로 동풍이다.[6)]

5) 「풀」에 대한 우의적 해석을 가장 섬세하게 전개한 사례로 이남호의 해석을 꼽을 수 있다. 본문의 소개는 바로 그의 해석을 수용한 것이다. 이남호, 앞의 책, pp.185~197. 참조.

'東風細雨에 듯듯나니 桃花로다'라는 고시조의 일절에 나오는 '東風細雨' 처럼, "비를 몰아오는 동풍"은 '비바람'의 거세고 황량한 느낌보다는 오히려 부드럽고 풍요로운 느낌을 준다. '나부끼다'라는 낱말의 뜻 역시 '연기나 안개, 또는 얇은 천이나 종이, 머리카락 따위가 흔들려 날리듯이 움직이다, 또는 그렇게 하다'이다. 산자락에 나부끼어 흐르는 안개, 바람에 나부끼는 소녀의 단발머리, 하늘하늘 나부끼는 옷고름 등의 모습은 거세고 빠른 움직임보다는 부드럽고 느린 움직임을 연상시킨다. 약한 바람이라고 하더라도 풀이 땅에 닿을 정도로 나부끼게 할 수 있음은 물론이다. 그러나 풀의 움직임이 그처럼 크다고 해도 '바람에 휩쓸리는 움직임'과 '바람에 나부끼는 움직임'이 주는 각각의 느낌에는 큰 차이가 있다. 이와 같이 '동풍'과 '나부끼다'라는 낱말의 뜻 자체에 주목하게 되면, 「풀」의 1연이 바람에 휩쓸려 풀이 마구 흔들리다가 땅으로 휘어지곤 하는 모습을 묘사한 것이라는 해석에 의문을 품게 되고, 차라리 다음과 같은 독서 반응에 공감하게 된다.

> 이 시를 읽으면 우선 풀, 비, 바람이 상기하는 신선함과 습기에 찬 초록빛 등이 떠오른다. 따뜻함보다는 시원한 냉기, 정적인 풍경보다는 나부끼는 풀의 부드러운 움직임, 소리 없음 속의 흐릿한 어두움, 살아 움직임들을 감지하게 된다. 그리고는 대조되는 동사들, 반복의 기법, 리듬과 운 등에 맞추어 읽어나가다가 오히려 통사적인 의미파악을 놓치게 된다.[7]

---

6) 시경(詩經)에 실린 「곡풍」이라는 작품에 대한 공영달의 주석에 따르면, 곡풍(谷風)은 곡풍(穀風)이다.

'바람'과 '풀'의 관계와 '억압 세력'과 '민중'의 관계를 유비관계로 파악한 우의적 해석은 위와 같은 자연스러운 독서 반응을 배제한 결과이다. 그럼에도 그 해석은 「풀」에서 한 가지 중요한 핵심을 지적하고 있다. 그것은 작품에서 '풀'이 갖추게 된 어떤 '힘'이다. 「풀」이라는 예술작품에는 바람에 나부끼는 풀의 모습에 대한 세심한 관찰을 통해 발견한 어떤 '힘'에 대한 깊은 통찰이 들어 있다. 「풀」에 관한 우의적 해석에서는 그 힘을 '민중의 끈질긴 생명력'이라고 보았다. 그 해석의 결정적인 문제점은 바로 그 점이다. 우의적 해석은 「풀」에 내재한 힘의 문제를 포착하긴 하였지만 성급하게도 그것을 일방적으로 민중과 연결시켰다. 그 해석은 작품에서 구축된 '힘'의 성격에 대해 좀더 깊게 고민해 보아야 했다. 작품의 구조 속에 구축된 풀의 힘이 민중의 그것일 수도 있음은 물론이다. 그러나 적어도 그 힘은, 이 글이 제시하는 해석의 의미체를 통해 확인되겠지만, '끈질긴 생명력'의 수준을 넘어선 어떤 것이다.[8]

「풀」에 관한 우의적 해석과는 달리 작품 해석에 '민중'과 '억압세력'의 대립관계를 이끌어 들이지 않는 관점도 있다. 대표적인 것이 황동규의 견해이다. 그는, 바람이 불지 않으면 움직일 수 없는 풀이 바람이 불지 않는데도 움직인다는 모순율이 모순으로 느껴지지 않게 되는 상태에 이르는 과정을 보여줌으로써, 생의 깊이와 연관된 어떤 감동을 맛보게 하는 시가 바로 「풀」이라고 주장한다.[9] 구체적인 분석의

---

7) 이은정, 「상반된 해석」, 김승희 편, 『김수영 다시 읽기』, 프레스21, 2000, pp.421~422.
8) 억압 세력과 민중의 관계로 바람과 풀의 관계를 해명하려 해도 문맥의 아귀가 잘 맞아떨어지지 않는 이유도 실제로 작품에 내재된 힘에 관한 사상 내용의 수준이 '민중의 끈질긴 생명력'의 수준을 넘어서기 때문이다.

절차 없이 시인 특유의 직관만으로 포착해낸 까닭에 지나치게 맹목적이라는 흠은 있지만, 황동규의 견해는 작품의 진리내용과 관련하여 결코 무시할 수 없는 통찰을 보여주며, 실제로 분석의 절차를 추가한 여러 해석의 이형(異形)들을 가능하게 하였다. 그러나 그의 견해는 '모순율이 모순으로 느껴지지 않게 되는 상태'와 '생의 깊이와 관련된 어떤 감동'을 매개할 수 있는 구체적인 분석의 절차와 해석의 내용을 결여하고 있어서 객관적으로 수긍할 만한 해석의 의미체로 받아들이기에는 지나치게 추상적이고 모호하다.

김현은, 황동규의 견해가 "풀을 단순한 상징, 알레고리의 상태에 떨어진 상징으로 보게 하는 대신에, 삶에 대한 여러 형태의 접근을 가능케 하는, 여러 양태의 상징적 해석을 가능케 하는 상징동력으로 이해케" 함으로써 「풀」에 대한 인식의 진전을 가져왔다고 평가하면서, 그 나름으로 작품 안에서 풀이 움직이는 것을 함께 느끼는 사람의 존재를 찾아낸다.[10] 「풀」의 3연에 나오는 "발목까지/발밑까지 눕는다"라는 구절에서 '발목'과 '발밑'의 주인은 바로 풀밭 속에서 서 있는 누군가라는 것이다.[11] 그와 같이 「풀」에서 김현이 강조하는 것은 '풀밭에서 있는 사람의 체험'이다. 그 체험이란 '풀의 눕고 울음을 풀의 일어남과 웃음으로 인식하고, 날이 흐리고 풀이 누워도 울지 않을 수 있게 된 것'이다. 그런데 김현의 해석에는 그 누군가가 풀의 눕고 울음을

9) 황동규, 「시의 소리」, 『사랑의 뿌리』, 문학과지성사, 1978, pp.156~157.
10) 김현, 「웃음의 체험」, 황동규 편, 『김수영의 문학』, 민음사, 1983, pp.209~211.
11) 김현의 주장과는 달리 그 구절에 나오는 '발목'과 '발밑'의 주인을 풀로 볼 수도 있을 것이다. 하지만 작품에서 풀이 의인화되어 있다고 해도 '발목'과 '발밑'의 주인을 풀로 보는 것은 자연스럽지 못하다. 사람이 눕는 동작을 묘사할 때 그것이 그 어떤 모양의 것이든 '발목까지, 발밑까지 눕는다'고 한다면 자연스럽지도 적절하지도 않은 표현이 될 것이기 때문이다.

어째서 풀의 일어남과 웃음으로 인식하게 된 것인지에 대한 설명이 구체적으로 제시되어 있지 않다. "「풀」은 그의 정신 편력의 한 극점일 것이다"[12]라는 김현의 논문의 마지막 문장이 공허하게 느껴지는 것도 그와 같은 설명의 불충분함 때문일 것이다.

김혜순은 「풀」에서 '풀'은 바람이나 시간과 상관이 없는 "자의적 존재"이며, "스스로 변화(獨化)"하는 자유로운 존재라고 주장한다.[13] 그에 따르면, 「풀」은 "스스로의 변화성(눕고, 일어나고, 울고, 웃는)으로 타물(바람)에 의존치 않고 그 존재를 성립시킨 존재자의 모습을 구현한 작품이다."[14] 김혜순은 '바람'을 축으로 하여 시간을 '선행 시간'과 '후행 시간'을 나눈 다음, 두 종류의 시간대에 풀의 움직임의 양태들을 배치해 봄으로써 타율적인 것에서 자율적인 것으로 화하는 풀의 움직임의 자화(自化) 과정을 포착해냈다. '풀의 움직임의 자화 과정'이라는 김혜순의 해석의 결론은 주목할 만하나, 그 결론에 도달하기까지 논증 과정은 객관적인 수긍을 불러내기에는 단순하고 불충분하다.

3.

앞 절에서는 「풀」에 관한 기존의 해석들을 검토하면서 그것들의 문제점들을 살펴보았다. 여기서는 기존의 해석들이 지닌 문제점을 참작

12) 김현, 앞의 글, 같은 책, p.212.
13) 김혜순, 「문학적 『장자』와 김수영의 시 담론 비교 연구」, 김승희 편, 앞의 책, p.189.
14) 김혜순, 앞의 글, 같은 책, p.190.

하면서 나름의 새로운 해석을 시도해 보겠다.

김수영의 시 「풀」은, 풀과 비와 날과 바람이라는 네 개의 명사가 '나부낀다' '눕는다' '일어난다' '운다' '웃는다'라는 다섯 개의 동사 그리고 '흐리다'라는 한 개의 형용사와 엇걸리는 관계가 단순하게 반복되는 형태로 되어 있다. 그러나 '바람'과 '동풍', '풀'과 '풀뿌리'와 같은 유의어들을 사용하고, '드디어' '다시' '빨리' '먼저' '늦게' 등의 부사와 '까지' '보다' 등의 토를 다양하게 활용함으로써 '풀'의 움직임이 단순한 반복 이상의 어떤 의미를 지니고 있는 듯한 인상을 주고 있다. 따라서 「풀」의 해석은 바로 그와 같은 '단순한 반복 이상의 어떤 의미'에 대한 해석이 중심 내용이 된다.

일반적으로 「풀」의 해석에서 제일 먼저 시도되는 것은 '바람'과 '풀'의 관계에 대한 이해이며, 대부분의 경우 양자의 관계를 대립관계로 파악한다. 대립은 '서로 반대되거나 모순됨, 또는 그런 관계'나 '서로 맞서거나 버팀, 또는 그런 관계'를 가리킨다. 풀과 바람의 관계를 그와 같은 뜻의 대립관계로 파악하는 것은 "비를 몰아오는 동풍"을 '비바람'으로 번역하여 이해하기 때문이다. '비바람'이 연상시키는 역경과 시련의 심상은 동시에 풀을 그러한 상황 속에서 고통을 당하고 있는 연약한 존재의 심상으로 받아들이게 한다. 그와 같이 연약한 존재인 풀에 고통을 주는 거세고 강한 '비바람'은 도덕적으로 악한 존재의 심상이 되고, 그처럼 악한 존재인 '비바람'에 의해 고통을 당하는 '풀'은 도덕적으로 선한 존재의 심상이 된다. '풀' 그 자체가 도덕적으로 선한 존재는 아니지만 도덕적으로 악한 존재의 심상이 된 '바람'에 의해 고통을 받기 때문에 도덕적으로 선한 존재의 심상이 되었다. '바람'은 거세고 강하기 때문에 부정적이고 악한 존재의 심상이 되고, '풀'은 여리고 약하기 때문에 긍정적이고 선한 존재의 심상이 된 것이다. 「풀」에 관한 우의적 해석이 개입되는 것도 바로 이 지점이다. 강하지만 부정적이고 도덕적으로 악한 '바람'은 '억압 세력'이 되고, 약하지만 긍정적이고 도덕적으로 선한 '풀'은 '민중'이 되는 것이다. 그러나 풀과 바람의 관계를 민중과 억압세력의 대립관계로 보는 '우의적 해석'은 풀과 바람에 관한 편견과 선입견에 근거하고 있다. 앞 절의 논의 과정에서도 지적되었듯이, "비를 몰아오는 동풍"을 시련과 역경을 연상시키는 '비바람'으로 바꾸어 읽어야 하는 근거를 작품 자체의 그 어디에서도 발견할 수 없다. 동풍은 곡식과 식물들에게 자양분을 가져다 주는 비를 몰아오는 봄바람이기 때문이며, 그와 같은 봄바람을 생태학의 차원에서 풀이 마다할 이유가 없기 때문이다. 결과적으로 풀과 바람의 관계를 부정과 맞섬을 내용으로 하는 대립관계로 볼 수 없다. 작품에서 바람은 풀을 부정하지 않으며 풀은 바람에 맞서지도 않는다. 풀은 바람에 나부끼지만, 풀을 나부끼게 하는 바람 또한 울고 웃고 눕고 일어나는 행동을 풀과 함께 반복한다. 풀은 바람보다 늦게 울고 늦게 눕기도 하고 바람보다 먼저 웃고 먼저 일어나기도 한다. 풀과 바람은 관계를 맺고 있지만 그것은 결코 대립관계는 아니다. 풀과 바람이 맺는 관계의 매개요인은 풀의 움직임인데, 풀은 바람에 나부끼는 존재이고 바람은 풀을 나부끼게 하는 존재이다. 비를 몰아오는 동풍에 나부끼는 풀의 움직임은 풀의 생태에 긍정적인 것이므로 풀을 움직이게 하는 바람은 풀에게 결코 부정적인 존재는 아니다. 풀의 움직임을 매개로 한 풀과 바람의 관계는 수동과 능동의 관계일 뿐이다. 바람은 타자(풀)를 움직이게 하는 힘을 가지고 있고, 자신의 생태에 긍정적인 움직임을 타자의 도움을 받아야만 수행할 수 있는 풀은 그러한 힘을 가지고 있지 못할 뿐이다.

이상에서 살펴본 것과 같이 풀과 바람의 관계를 부정과 대립의 관계로 볼 수는 없지만, 그렇다고 작품에 대립과 부정과 모순의 계기가 전혀 없는 것은 아니다. 문제는 그러한 부정과 모순과 대립의 관계를 맺고 있는 요소가 무엇인가 하는 것이다. 언뜻 보아 작품에서 대립을 보이는 것은 '눕고/일어나고'와 '울고/웃는'에서 확인되는 움직임의 양태들이다. 그러나 그 양태들이 서로 부정적이고 적대적인 모습을 보이지는 않는다. 그것들을 대립으로 보는 것은 전체적인 맥락을 고려하지 않고 각각의 양태들을 고립된 개별 요소로만 보기 때문이다. 눕고 일어나는 움직임의 모습과 울고 웃는 감정의 상태는 상호 결합되어야만 전체적으로 온전하고 자연스럽게 된다. 사실 '눕고/일어나고'와 '울고/웃는'에서 확인되는 움직임의 양태는 풀과 바람의 관계에서 볼 수 있는 것과 같은 수동과 능동의 그것이다. 그런데 이 작품에는 이제까지 별로 주목된 적이 없는 대립관계를 보여주는 요소가 있다. 그것은 '나부끼다'와 '눕다/일어나다/울다/웃다' 사이의 대립이다. 이들 다섯 개의 동사는 모두 풀의 움직임을 묘사한 것이라는 점에서는 동일하다.[15] 차이점은, '나부끼다'가 사실적인 묘사인 반면에 그 밖의 다른 것들은 의인화를 통한 비유적 묘사라는 것이다. 「풀」의 분

15) '눕는다'와 '일어난다'의 경우는 풀의 움직임을 의인화해서 묘사한 것이라고 볼 수 있는데, 과연 '웃는다'와 '운다' 역시 풀의 어떤 움직임을 의인화한 것인지에 대해서는 논란의 여지가 있다. 사실 '웃는다'와 '운다'는 부단한 움직임 속에서 의인화된 풀이 느끼는 감정의 양태로 보아도 무방할 것이다.

석에서 이 새로운 대립항에 대한 주목은 매우 중요하다. 왜냐하면 '눕고/일어나고'와 '울고/웃는'에서 보는 것과 같은 개별 요소들 사이의 의미상의 대립이 보다 심층적인 대립구도(풀의 타율적인 움직임과 자율적인 움직임의 대립) 속에서 완화되기 때문이다. '눕다, 일어나다, 울다, 웃다'라는 각각의 동작은, 그것들의 의미상의 차이 자체가 무화되는 것은 아니지만, 적어도 상호 부정적인 차원의 대립에서는 벗어나게 되는 것이다. 풀은 바람에 나부끼지만, 풀을 나부끼게 하는 바람 또한 울고 웃고 눕고 일어나는 행동을 풀과 함께 반복한다. 풀은 바람보다 늦게 울고 늦게 눕기도 하고 바람보다 먼저 웃고 먼저 일어나기도 한다. 현실 세계에서 풀의 움직임은 바람에 의한 타율적인 것이지만, 작품의 가상 세계에서 풀의 움직임은 자율적인 것으로 바뀐다. 그것은 「풀」이라는 예술작품에서 구축된 하나의 사건이다. 그리고 작품의 구조, 다시 말해 언어들의 짜임관계는 풀의 자율적 움직임이라는 놀라운 사건을 당연하고 필연적인 것으로 받아들이게 한다.

풀밭에 서서 풀의 움직임과 관련한 어떤 체험을 발화하고 있는 인물의 존재, 그리고 작품의 보다 심층적인 대립항인 풀의 '타율적인 움직임'(나부끼다)과 '자율적인 움직임'에 근거할 때 우리는 작품에서 또 하나의 심층 대립항을 찾아낼 수 있다. 그것은 바로 '사실'(풀의 타율적인 움직임)과 '환상'(풀의 자율적인 움직임)의 대립이다.[16] 작품에서 한 인물은 풀이 바람에 나부끼는 모습을 보고 있다. 그런데 그 순간 사실의 관찰에서 촉발된 환상, 즉 바람 없이도 풀이 스스로 움직이는

16) 강웅식, 「언어의 윤리와 시의 완성」, 『텍스트에서 경험으로』, 새미, 2003, pp.86~101.

것 같은 환상을 체험하고 그 인물은 그것에 대해 말한다. 작품에서 '풀이 눕는다'는 화자의 언표는 풀의 자율적인 움직임의 모습을 진술한 것이지만 그 언표를 발화하는 화자의 발화행위는 언표가 지시하는 내용을 하나의 사건으로 확정해 놓으려는 선언의 행위이기도 하다. "풀이 눕는다"는 언표를 우리는 '풀이 눕는다(스스로 움직인다)고 이로써 단언한다'라는 심층 구조의 문맥으로 변형시킬 수가 있는데, 의인법을 적용한 언표와 그것의 부단한 반복은 하나의 환상을 구체적인 사건으로 승화시키게 되는 것이다. 이 작품의 구성적 계기로 수용된 것들, 즉 '풀', '바람', '흐린 날', '비', 그리고 '눕다, 울다, 일어나다, 웃다'의 동사가 연상시키는 무수한 배경과 움직임의 양태들은 모두 현실의 것들이지만, 환상을 매개로 하여 작품 자체 안에서 특유한 짜임관계를 갖게 되자 그것들은 현실의 경험 세계에서와는 다른 위치를 갖게 되고 그 의미가 조금씩 변하게 된다. 움직임을 중심으로 한 바람과 풀의 관계를 '더 빨리', '먼저', '늦게' 등의 부사를 통해 교란시키고 있는 것에서도 볼 수 있듯이, 작품에서 현실의 공간이나 시간이 완전히 무시되는 것은 아니기에 그것의 힘이 근본적으로 부정되는 것도 아니다. 그러나 놀랍게도 그 구속성은 사라지게 된다. 동일한 문장형태의 반복이나 운율과 같은 비의미적 언어조직을 통하여 시간이 압축되고, 풀이 바람에 나부끼는 모습에서 비롯한 풀의 자율적인 움직임이라는 영상을 통하여 공간이 겹쳐짐으로써 이제까지 존재하지 않았던 어떤 것이 제시되는 것이다.

그런데 만일 "날이 흐리고 풀뿌리가 눕는다"라는 형태의 결구 없이 사실에서 비롯한 환상의 반복으로 단순하게 끝을 맺었더라면, 「풀」은 이미 존재하는 것의 무력한 투사에 머물게 되고 말았을 것이며, 현재와 같은 강도를 결코 누리지 못했을 것이다. 그 문제의 구절에서 암시되는 풀의 움직임은 현실의 그 어떠한 움직임의 형상과도 교환이 성립되지 않는 것이다. 풀뿌리의 움직임이란 현실의 경험세계에서는 가시적으로는 경험할 수 없는 어떤 것이기 때문이다. 우리는 시인이 그 구절에 이르러 풀의 자율적인 움직임이라는 영상을 포기했다고는 볼 수 없다. 가시적인 어떤 것과 직접 연결시킬 수는 없지만, 현실의 경험세계의 그것과는 교환이 되지 않는 어떤 움직임으로 나아감으로써 작품의 짜임관계 속에서 풀은 이 부분에 이르러 비로소 현실의 그것과는 다른 풀이 된다. 다시 말해 현실적인 생명체의 죽음을 통해 그 어떤 다른 것이 되는 것이다. 이와 함께 현실에서 풀이 바람에 나부끼는 사실에 대한 체험의 직접성이 사라지게 되고, 그러한 사실에서 비롯한 환상을 성립시킨 매개였던 바람의 구속력도 함께 사라지게 된다. 그리하여 「풀」은, 김수영 자신의 표현을 빌리면, "여지껏 없었던 세계가 펼쳐지는 충격"을 준다.[17]

작품에서 '눕는다'와 '운다'가 더 자주 나오지만, 작품의 분위기는 더 적게 나오는 '일어난다'와 '웃는다'에 의해 더 크게 영향을 받는다. '일어난다'의 능동적 움직임과 '웃는다'의 기쁜 감정은 풀의 능력을 부단히 증대시키고 심지어 '풀뿌리가 눕는다'라는 능동적 자기 촉발의 움직임으로 나아가게 한다.[18] 풀뿌리의 움직임은 바람의 영향과는

17) 김수영, 「시여, 침을 뱉어라」, 『김수영 전집2 산문』, 민음사, 2003, p.401.
18) 「풀」에서 구축된 자기 촉발의 힘은 '민중의 끈질긴 생명력'의 수준을 넘어선다. '끈질긴 생명력'이라는 말은 이미 수동성과 슬픈 감정을 전제하고 있다. 그것은 버틴다거나 견딘다는 느낌을 주기 때문이다. 그런 힘은 능동적(active) 힘이 아니라 반작용(reactive)의 힘이다.

아무런 관계가 없는 철저한 자기 촉발의 움직임이기 때문이다. 이처럼 김수영의 시 「풀」은 '풀'이라는 존재의 능력의 극대화를 통한 기쁨과 긍정의 세계를 보여준다. 작품을 이해하기 위한 전제로서 풀을 민중이라고 보는 우의적 해석의 시각은 작품 자체의 문맥과 통하지 않는다. 그러나 「풀」에서 구축된, 작품의 구조에 의해 필연적이고 당연한 것으로 여겨지게 하는 풀의 자기촉발의 능력이야말로 '민중'이 지녀야 할 근원적인 힘이라고 말하는 것은 가능할 것이다.

4.

앞 절에서 우리는 「풀」에 관한 나름의 해석을 제시하였다. 이 절에서는 서두에서 제기한 세 가지의 과제 가운데 나머지 두 가지에 대해 살펴보겠다.

간혹 지켜지지 않은 경우도 있었으나 김수영은 20여 년에 걸친 시작 기간 동안 평균 한 달 내지 두 달에 한 편 꼴로 작품을 발표하였다. 원고에 남긴 작품의 탈고일에 근거할 때, 그는 1968년에 모두 네 편의 작품을 썼다. 「성(性)」(1968. 1. 19), 「원효대사」(1968. 3. 1), 「의자가 많아서 걸린다」(1968. 4. 23), 「풀」(1968. 5. 29) 등이다. 이는 1968년에도 평소에 유지되던 작품 발표의 간격이 지켜졌음을 알 수 있다. 그런데 그 해에 발표된 다른 작품들과 비교할 때 「풀」은 매우 이질적인 작품이다. 김현의 지적처럼 「풀」은 "김수영적인 특성들, 자기성찰, 풍자, 야유, 탄식 자학 등의 지적인 요소들과 어울리지 않는다."[19] 김수영 문학이 폭로적인 자기분석에 근거하고 있다는 사실은 구체적인 작품들에서 쉽사리 확인된다. 60년대에 발표된 작품들에서 상대적으로 폭로와 노출의 경향이 강화되긴 하지만, 50년대에 발표된 작품들에서도 우리는 그러한 자기분석의 사례를 흔하게 발견할 수 있다. 60년대의 작품들처럼 일상생활의 구체적 세부를 노출하지는 않으나 50년대의 작품들 역시 분석 주체인 '나'가 등장하여 자신의 생활과 정신과 예술에 대해 반성한다. 50년대에 씌어진 작품들과 비교할 때 60년대의 작품들에서 김수영은 자신의 구체적 일상을 분석 대상으로 삼으면서 거기에다 희극적인 상황을 부여한다. 「罪와 罰」(1963), 「강가에서」(1964), 「어느날 古宮을 나오면서」(1965), 「식모」(1966), 「엔카운터誌」(1966), 「電話이야기」(1966), 「도적」(1966), 「美濃印札紙」(1967), 「性」(1968), 「의자가 많아서 걸린다」(1968) 등 1960년대에 그가 쓴 작품들 대부분이 그러한 경향을 보여준다.

김수영의 전반적인 작품 성향과는 크게 대비되는 「풀」의 성격과 관련하여 한편에서는 김수영 문학의 진화 과정에서 그 작품이야말로 그가 정말로 쓰고 싶었던 작품이고 그 이후로도 지속적으로 쓰고자 했을 작품이라고 주장하는가 하면[20], 다른 한편에서는 그 작품은 "행복한 시간의 우연"에 불과한 것이라고 주장하면서 그 이후로 그가 과연 그와 같은 작품을 지속적으로 추구했을 것인가에 대해서는 회의적인 입장을 보인다.[21] 미래는 함부로 예단할 수 없는 것이므로 그 이후로

19) 김　현, 앞의 글, 같은 책, p.206.
20) 황동규, 「정직의 공간」, 황동규 편, 앞의 책, pp.125~128.
21) 유종호, 「시의 자유와 관습의 굴레」, 황동규 편, 앞의 책, p.257.

도 김수영이 그와 같은 시도를 하였을 것인지에 대해서는 파악할 수 없으나, 적어도 우리는 「풀」이 결코 그의 시의 진화 과정에서 돌발적으로 생겨난 '행복한 시간의 우연'이 아니라 점진적인 형성 과정의 필연적인 귀결이라 생각한다. 우리가 볼 때, 「풀」은 그 내용의 측면에서는 「토끼」(1949)와 「달나라의 장난」(1953)과 「폭포」(1957)를 잇는 '윤리적 주체'의 부단한 자기형성 과정의 한 매듭점이며, 동시에 그 형태의 측면에서는 「눈」(1966. 1. 29)과 「꽃잎1」(1967. 5. 2)과 「꽃잎2」(1967. 5. 7)에서 집중적으로 시도된 '언어의 작용'과 연관된 실험 과정의 한 매듭점이기 때문이다.

"생후의 토끼가 살기 위하여서는/전쟁이나 나의 진실성 모양으로 서서 있어야 하였다/누가 서 있는 게 아니라/토끼가 서서 있어야 하였다"라고 노래한 「토끼」에서 주목되는 것은 "누가 서 있는 게 아니라 내가 서 있"고자 하는 주체의 의지이다. 주체의 그러한 의지라는 문제를 놓고 볼 때 「토끼」의 연장선상에 놓여 있는 「달나라 장난」(1953)의 화자는 아래에서 보는 것처럼 "스스로 도는 힘"에 대한 열망을 보여준다.

팽이가 돈다
팽이가 돌면서 나를 울린다
제트기 벽화 밑의 나보다도 더 뚱뚱한 주인 앞에서
나는 결코 울어야 할 사람은 아니며
영원히 나 자신을 고쳐가야 할 운명과 사명에 놓여 있는 이 밤에
나는 한사코 방심조차 하여서는 아니 될 터인데

팽이는 나를 비웃는 듯이 돌고 있다
비행기 프로펠러보다는 팽이가 기억이 멀고
강한 것보다는 약한 것이 더 많은 나의 착한 마음이기에
팽이는 지금 수천 년 전의 聖人과 같이
내 앞에서 돈다
생각하면 서러운 것인데
너도 나도 스스로 도는 힘을 위하여
공통된 그 무엇을 위하여 울어서는 아니 된다는 듯이
서서 돌고 있는 것인가

—「달나라의 장난」 부분

위의 시에서 "영원히 나 자신을 고쳐가야 할 운명과 사명에 놓여 있"음을 자각하는 화자를 우리는 윤리적 주체라 부를 수 있다. 윤리학에서는 사람이 각자 자신의 능력을 발휘하며 자기완성에 이르기 위해 노력하는 것을 자기실현이라 하고, 그것을 사람이 삶에서 추구해야 할 궁극가치로 설정한다. 자기 삶을 스스로 결정하는 것, 다시 말해 자신의 목표를 선택하며 그 목표에 부합되는 행동양식을 실천할 능력을 지니고 발휘하는 것이 인간의 본질이라 파악하는 것이다. 그 능력을 발휘할 수 있게 해주는 것이 바로 힘이며, 긍정적인 혹은 이상적인 사회는 그 구성원 각자가 인간으로서 타고난 자질과 능력을 마음껏 사용하고 발전시키는 방향으로 그 힘을 극대화하는 목표를 지향해야 한다고 믿는 것이 윤리학의 이상이다. 어쩌면 김수영 문학은 윤리적 주체가 창작을 매개로 자기실현을 이룩해 가는 역동적 드라마와 같은

것이었다고 보아도 무방할 것이다. 우리는 김수영이 여러 산문을 통해 현실의 정치와 사회 문제에도 적극적인 관심을 보이면서 부정적이라 판단되는 현상들에 대해 강력한 이의와 비판을 제기했다는 사실을 알고 있다. 아마도 그의 그런 행동 역시 자기를 실현해 가는 윤리적 주체의 행동의 연장선상에 놓이는 것으로 파악할 수 있을 것이다.

1968년에 쓴 시론인 「시여, 침을 뱉어라 : 힘으로서의 시의 존재」에서 "현대에 있어서는 시뿐만 아니라 소설까지도 모험의 발견으로서 자기 형성의 차원에서 그의 '새로움'을 제시하는 것이 문학자의 의무로 되어 있다"고 주장하다시피[22], 윤리적 주체의 부단한 자기형성의 문제는 김수영 문학의 핵심이라 할 수 있다. 그리고 "나는 너무 작품의 힘의 가치에만 치중하고 있는지도 모른다"라는 구절이 시사하듯이,[23] 윤리적 주체에게 자기실현과 자기형성의 능력을 가능하게 해주는 '힘'의 문제는 본질적이고 필연적인 것이다. 김수영은 그의 여러 작품에서 그와 같은 '힘'의 문제를 다루는데, 「폭포」는 그 대표적인 경우라 할 수 있다.

폭포는 곧은 절벽을 무서운 기색도 없이 떨어진다

규정할 수 없는 물결이
무엇을 향하여 떨어진다는 의미도 없이
계절과 주야를 가리지 않고

---

22) 김수영, 앞의 글, 같은 책, p.400.
23) 김수영, 「예술작품에서의 한국인의 애수」, 앞의 책, p.351.

고매한 정신처럼 쉴 사이 없이 떨어진다

금잔화도 인가도 보이지 않는 밤이 되면
폭포는 곧은 소리를 내며 떨어진다

곧은 소리는 소리이다
곧은 소리는 곧은
소리를 부른다

번개와 같이 떨어지는 물방울은
취할 순간조차 마음에 주지 않고
나타(懶惰)와 안정을 뒤집어 놓은 듯이
높이도 폭도 없이
떨어진다

—「폭포」 전문

위의 시는 "고매한 정신"이라는 추상적 관념을 높은 곳에서 급격하게 떨어지는 폭포의 형상을 통해 감각적으로 제시한 작품이다. 폭포의 형상과 소리를 통해 '고매한 정신'은 시각적이고 청각적인 감각의 대상으로 다가오긴 하지만, 화자 자신의 언표처럼 그것은 규정할 수도 없고 무엇을 향하여 떨어진다는 의미도 없다. '고매한 정신'의 그와 같은 '규정할 수 없음'과 '의미 없음'은 그것이 인간의 이해 능력을 초월한 어떤 것이라는 점을 가리키며, 바로 그렇기 때문에 그것은 경외심이나 열정적 격정을 불러일으키는 숭엄한 대상이 된다. 「풀」에서 풀의 움직임을 관찰하면서 나름의 인식과 발견을 통해 풀의 자율적인 움직임과 일체가 되는 체험을 하는 존재자를 설정할 수 있듯이, 「폭포」에서도 폭포의 형상과 소리에 대한 관찰을 통해 나름의 인식과 발견에 이르는 존재자를 설정할 수 있다. 두 시에서 설정할 수 있는 존재자는 모두 윤리적 주체들이다. 「폭포」에서 그 존재는 '고매함'과 '곧음'을 지향하고, 나타와 안정을 경계하며, 자신에게 경계와 반성의 계기가 되어 준 폭포의 형상과 소리에조차도 취하지 않으려고 하는 윤리적 주체이다. 그러나 그 주체는 자신의 외부에 있는 숭엄한 대상의 힘에 기대어 자신이 처하게 될지도 모를 존재의 부정적 양태를 경계한다. 무서운 기색도 없이 떨어지는 형상과 고매한 정신을 연상시키는 "곧은 소리"의 장엄함과 우렁참에도 불구하고 작품의 어조에 슬픔이 배어 있는 듯한 인상을 받게 되는 것은, 작품의 화자인 윤리적 주체의 부단한 성찰과 경계에도 불구하고 폭포의 힘이 아직 그의 힘으로 화하지 못했기 때문일 것이다.

「폭포」와 비교할 때 「풀」의 화자는 "발목까지/발밑까지 눕는다"는 구절의 '발목'과 '발밑'을 풀의 그것으로 보아도 무방할 만큼 철저하게 감추어져 있어서, 서술하는 주체인 화자와 서술되는 대상인 풀이 거의 하나가 되었다고 느껴질 정도이다. 풀의 움직임은 생태학의 차원에서 풀의 존재를 유지하기 위해 필요한 것이지만, 애초에는 바람에 나부끼는 수동적인 것이었다. 그러나 풀은 부단한 나부낌 속에서 수동적인 것을 능동적인 것으로, 슬픈 감정을 기쁜 감정으로 전환한다. 「풀」에서 능동적인(또는 자율적인) 움직임과 기쁜 감정은 외부에서 주어진 것이 아니다. 그것은 풀이 부단히 눕고 일어나고 울고 웃는 행위를 통해 생산한 것이다. 풀이기도 하고 화자 자신이기도 한 「풀」의 윤리적 주체는 김수영 자신의 말처럼 자기형성의 차원에서 스스로의 새로움을 제시한다. 김수영이 1968년에 발표한 시론인 「시여, 침을 뱉어라」의 부제는 '힘으로서의 시의 존재'이다. 그는 1960년대에 쓴 여러 산문에서 박용철(朴龍喆)의 「빛나는 자취」 같은 작품들이 보여주는 '힘의 세계'에 대해 자주 언급한다. 자기촉발의 '힘'에 대해 노래하는 「풀」이 '행복한 시간의 우연'이 아니라 점진적인 형성과정의 필연적인 귀결이라고 보는 근거도 바로 그러한 사실들에 있다.

「풀」의 작품 완성도에 대한 검토에서 빼놓을 수 없는 작품은 1966년 1월에 발표된 「눈」이다. 화자가 작품과 밀착해 있다는 점에서 「눈」은 「풀」과 매우 유사한 작품이다.

눈이 온 뒤에도 또 내린다

생각하고 난 뒤에도 또 내린다

응아 하고 운 뒤에도 또 내릴까

한꺼번에 생각하고 또 내린다

한줄 건너 두줄 건너 또 내릴까

廢墟에 廢墟에 눈이 내릴까

—「눈」 전문

김수영은 「장마 풍경」(1964. 7. 21)이라는 글에서 "풍경을 볼 때도 바쁘게 보는 풍경이 좋다. 일을 하다가 잠깐 쉬는 동안에 보는 풍경. 그리고 다시 아무렇지도 않은 듯이 일을 계속하게 하는 풍경. 다시 말하자면 그것은 일을 하면서 보는 풍경인 동시에 풍경 속에서 일을 하는 것이다"라고 하였는데, 「눈」에서도 우리는 그 구절에서 포착할 수 있는 것과 같은 김수영 특유의 윤리적 주체의 역경주의(力耕主義)와 금욕주의를 발견하게 된다. 「눈」에서 화자는 하염없이 눈이 내리는 풍경을 보면서 무엇인가를 쓰고 있고, 쓰면서 생각하고 생각하면서 풍경을 본다. 풍경이 주는 즐거움에 매료되어 자신의 일손을 놓고 싶은 욕망을 자제하니 '금욕주의'이고 풍경을 보면서 풍경 속에서 나름의 일을 계속하니 '역경주의'이다. 그와 같이 무엇인가를 쓰면서 생각하고 생각하면서 눈이 내리는 풍경을 보는 화자의 모습 자체가 하나의 풍경이 되어 작품으로 구축된 것이 바로 「눈」이다. 그러나 「눈」은 단순히 의미 있고 아름다운 풍경만을 보여주는 시는 아니다. 이 시에서 언어의 조직과 작품의 구조는 풍경이나 시인의 생각을 단순히 묘사하는 데 머무르지 않고, 풍경과 생각을 통합할 뿐만 아니라 작품에서 하나의 사건을 구축한다. 그 사건은 '폐허에 눈이 내린다'는 것이다. 첫행에서도 알 수 있듯이 이 시는 현실의 경험세계에 기반하고 있다. 지속해서 눈이 내리는 모습이 작품에 수용되면서 그것은 하나의 사건으로 구축되기 시작하는데, 그 사건화에 기여하는 것은 바로 작품의 구조이다. 첫째 행과 둘째 행에서 두 번 반복되는 "또 내린다"에 이어지는 셋째 행의 "또 내릴까"는, 넷째 행에서 다시 반복되는 "또 내린다"로 인해, 회의하는 의문이 아니라 확신하는 강조가 된다. 이어서 다섯째 행과 여섯째 행에서도 반복되는 '내릴까'는, 그처럼 확신하는 강조의 문맥을 점층적으로 강화하면서 작품의 결구인 마지막 행에 이르러 마침내 '폐허에 눈이 내린다'는 사건을 성취한다. 인간의 삶의 터전으로서 기능을 상실한 '폐허'는 대지의 상처이자 세계의 상처이기도 할 것이다. 그러한 폐허에 내리는 눈은 단순한 자연 사물이 아니라 주술적 치유력을 지닌 신의 선물이 된다. 그 하얀 선물에 덮여 그 검고 황폐한 상처는 아마도 치유될 수 있을 것이다. 이 시에서 구축된 사건은, 그러므로, 단순히 '폐허에 눈이 내린다'는 사실이 아니다. 쉽사리 화해될 수도 극복될 수도 없는, 폐허로 상징화되는 상처가 주술적 치유력을 지닌 눈에 의해 새하얗게 치유되는 것, 그것이 바로 이 시에서 성취된 사건이다. 시에서 성취된 사건은 현실의 경험 세계에서도 성취될 어떤 것을 환기시킨다. 시가, 나아가 예술이 양탄자와 같은 단순한 장식적인 아름다움에서 벗어나 그 어떤 진리 내용에 도달할 수 있는 근거도 이제까지 존재한 적이 없는 어떤 것의 존재 가능성을 그와 같이 작품 자체를 초월함으로써 환기시키는 데 있을 것이다. 이와 같이 '사건으로서의 시'와 '구조로서의 시'가 상호 조화를 이룬다는 점에서도 「눈」과 「풀」은 매우 닮아 있다. 그것은 「풀」이 결코 '행복한 시간의 우연'이 아니라는 사실을 증명해 준다. 그런데 두 작품에서 구축된 힘의 성격은 서로 차이가 있다. 「눈」에서 그 힘은 자연의 은총 같은 주체 바깥의 힘이지만, 「풀」에서 그 힘은 주체의 확대된 능력에 의해 생성된 주체 내부의 힘이다.

5.

이제까지 살펴보았듯이 「풀」은 김수영 문학의 전개 과정에서 돌발적으로 생겨난 '행복한 시간의 우연'의 산물이 아니다. 그것은 점진적인 형성 과정의 필연적인 귀결이다. 「풀」은 그 내용의 측면에서는 「토끼」(1949)와 「달나라의 장난」(1953)과 「폭포」(1957)를 잇는 '윤리적 주체'의 부단한 자기형성 과정의 한 매듭점이며, 동시에 그 형태의 측면에서는 「눈」(1966. 1. 29)과 「꽃잎1」(1967. 5. 2)과 「꽃잎2」(1967. 5. 7)에서 집중적으로 시도된 '언어의 작용'과 연관된 실험 과정의 한 매듭점이다.

「풀」의 해석에서 '바람'과 '풀'의 관계를 억압세력과 민중의 관계로 파악하는 것은 작품의 문맥과 잘 맞지 않는다. 작품에서 바람과 풀의 관계는 그 자체로 보아야 하며, 그 관계에서 주목해야 할 것은 힘의 문제이다. 현실세계에서 풀의 움직임은 바람에 의한 수동적인 것이지만, 작품의 가상세계에서 풀의 움직임은 능동적인 것으로 바뀐다. 작품에서 '눕는다'와 '운다'가 더 자주 나오지만, 작품의 분위기는 더 적게 나오는 '일어난다'와 '웃는다'에 의해 더 크게 영향을 받는다. 「풀」은 '풀'이라는 존재자의 능력의 극대화를 통한 기쁨과 긍정의 세계를 보여준다.

김수영이 1968년에 발표한 시론인 「시여, 침을 뱉어라」의 부제는

'힘으로서의 시의 존재'이다. 그는 1960년대에 쓴 여러 산문에서 박용철(朴龍喆)의 「빛나는 자취」 같은 작품들이 보여주는 '힘의 세계'에 대해 자주 언급한다. 자기촉발의 '힘'에 대해 노래하는 「풀」이 '행복한 시간의 우연'이 아니라 점진적인 형성과정의 필연적인 귀결에 따른 것이라고 보는 근거도 바로 그러한 사실들에 있다.

「풀」은 고정된 본질 대신에 운동과 변화가 가득 찬, 어떤 특별한 고정점도 없으므로 무한한 운동을 가능하게 하는 '힘의 세계'를 지향하고자 했던 김수영 문학의 핵심을 작품의 높은 완성도를 통해 보여주는 그의 대표작이라 최고작이라 할 수 있다.

김수영 연보

1921년(1세) 11월 27일 서울 종로구 종로 2가에서 부 김태욱과 모 안형순 사이의 8남매 중 장남으로 태어남.
본적 서울 종로구 조동 171번지.

1924년(4세) 조양유치원에 들어가다.

1926년(6세) 서당에 다니며 한문 공부하다.

1928년(8세) 어의동 공립보통학교(현 효제초등학교) 입학.

1931년(11세) 조부 70세로 돌아가심.

1934년(14세) 보통학교 졸업. 6학년 9월경 운동회를 끝내고 장티푸스에 걸린 후로 잇달아 폐렴, 뇌막염으로 병석에 누움.
서울 용두동으로 이사.

1935년(15세) 선린상업고등학교 전수과 입학.

1938년(18세) 위 학교 본과로 진학.

1940년(20세) 서울 현저동으로 이사.

1941년(21세) 선린상업학교 졸업. 성적 우수. 동경 성북고등예비학교에 다님.
태평양 전쟁 발발.

1943년(23세) 전쟁 막바지에 가족들 만주 길림성으로 이사.
조선학병 징집을 피해 일본에서 귀국.
송영일 등과 연극을 하다.

1944년(24세) 가족이 가 있는 만주로 건너감.
연극에 경도.
동생 수성, 일군에 끌려감.

1945년(25세) 8·15 해방.

9월 만주에서 돌아옴.

연극에서 시로 전향.

시 「廟庭의 노래」 가 처음으로 『예술부락』 에 실림.

부친 병환 악화.

「廟庭의 노래」「공자의 생활난」 등을 쓰다.

1946~48년(26~28세) 연희전문 영문과 4년에 편입. 졸업하지 않음.

김경린, 박인환 등과 교우.

「가까이 할 수 없는 서적」「이」「아미레카 타임지」 등 쓰다.

1949년(29세) 1월 부친 49세로 돌아가심.

박인환 등과 함께 묶은 『새로운 都市와 市民들의 合唱』 에 「아메리카 타임지」「공자의 생활난」 수록.

「토끼」 아머지의 사진」 등 쓰다.

1950년(30세) 김현경과 결혼.

6·25 사변 발발.

8월 북한군에 징집. 국군에 의해

두 동생 행방불명.

12월 피난지에서 장남 태어나다.

1952~53년(32~33세) 포로수용소에서 석방.

부산, 대구 등지에서 미8군 통역관을 하다, 서울로 돌아와 선린상고 영어교사 등을 함.

1953년(33세) 「달나라의 장난」「부탁」「애정지둔」「풍뎅이」 등을 쓰다.

1954년(34세) 주간 태평양에 근무.

성북동에 이사.

「시골선물」「구라중화」「나의 가족」「거미」 등을 쓰다.

1955년(35세) 평화신문사 문화부 차장으로 근무.

마포 구수동으로 이사.

「국립 도서관」「레이팜탄」「거리1」「거리2」 등을 쓰다.

1956년(36세) 「바뀌어진 지평선」「기자의 정열」「구름의 파수병」「병풍」「눈」「꽃2」 등을 쓰다.

1957년(37세) 김경린, 김춘수, 김규동 등과 함께 묶은 앤솔로지 『평화에의 증언』에 「폭포」 등 5편 수록.

「채소밭에 가서」「서시」「광야」 등을 쓰다.

1958년(38세) 6월 차남 태어나다.

11월 제1회 한국시인협회상 수상.

「초봄의 뜰안에」「비」「말」 등을 쓰다.

1959년(39세) 『달나라의 장난』을 춘조사에서 간행. 40편 수록.

「자장가」「모리배」「 미스터 리에게」 등 쓰다.

1960년(40세) 4 · 19 의거 이후 현실과 정치를 직시하고 적극적인 태도로 시와 시론, 시평 등을 잡지에 발표.

서라벌 예대, 서울대, 연세대, 이대 등에서 강연하다.

「피리와 더불어」「하 그림자도 없다」「푸른 하늘을」「나는 아리조나 카보이야」 등을 쓰다.

1961년(41세) 「눈」「사랑」「황혼」「사일구 시」「아픈 몸이」 등을 쓰다.

1962년(42세) 「백지에서부터」「적」「만주의 여자」 등을 쓰다.

1963년(43세) 「피아노」「깨꽃」「후란넬 저고리」「여자」 등을 쓰다.

1964년(44세) 「거대한 뿌리」「시」「강가에서」「현대식 교량」 등을 쓰다.

1965년(45세) 「65년의 새해」「제임스 띵」「어느날 고궁을 나오면서」 등을 쓰다.

1966년(46세) 「눈」「식모」「설사의 알리바이」「금성라디오」「도적」 등을 쓰다.

1967년(47세) 「꽃잎 1, 2, 3」「여름밤」「미인」 등을 쓰다.

1968년(48세) 「성」「의자가 많아서 걸린다」「풀」 등을 쓰다.

6월16일 밤 귀가 길에 버스에 치어 머리를 다침. 다음날 끝내 의식을 회복하지 못한 채 8시경 숨짐. 도봉동에 있는 선영에 묻힘.

1969년 여러 지인들에 의해 묘 앞에 시비가 세워짐.

1974년 9월 시선집 『巨大한 뿌리』가 민음사에서 간행됨.

1975년 6월 산문집 『詩여, 침을 뱉어라』가 민음사에서 간행됨

1976년 8월 시선집 『달의 행로를 밟을지라도』가 민음사에서 간행됨.

산문선집 『퓨리턴의 초상』이 민음사에서 간행됨.

김수영 논문목록

1. 일반논문

강연호, 「자기 갱신의 모색과 탐구 : 김수영론」, 송하춘 · 이남호 편, 『1950년대 시인들』, 나남, 1994.

강웅식, 「김수영 문학연구사 30년, 그 흐름의 향방과 의미」, 『작가연구』, 1998. 5.

강은교, 「김수영 시의 모티브 연구」, 김승희 편, 『김수영 다시읽기』, 프레스21, 2000.

강희근, 「김수영 시의 틀에 대하여—후기시를 중심으로」, 『구연식화갑기념논총』, 1985.

고재석, 「김수영의 자유와 비애」, 『한국문학연구』 13, 동국대, 1990.

구모룡, 「도덕적 완전주의」, 『조선일보』 1982. 1. 13~21 (신춘문예 평론 당선작).

구중서, 「4 · 19 혁명과 한국문학」, 『한국문학과 역사의식』, 창작과비평사, 1985.

권영민, 「진실한 시인과 시의 진실성」, 『문예중앙』, 1981년 겨울호.

권오만, 「김수영 시의 기법론」, 『한양어문연구』 13, 1996. 11.

______, 「자유와 꿈」, 『거대한 뿌리』, 민음사, 1974.

금동철, 「'풀'의 미학, 그 허무주의」, 『서정시학』, 2000년 봄호.

기춘호, 「김수영의 시세계」, 『충북문학』 6호, 1981. 9.

김 현, 「김수영, 혹은 소시민의 자기 확인과 항의」, 김현 · 김윤식, 『한국

문학사』, 민음사, 1973.
______, 「시와 시인을 찾아서—김수영 편」, 『심상』, 1974. 5.
______, 「자유와 꿈」, 김수영 시선집 『거대한 뿌리』 해설, 민음사, 1974.
______, 「김수영의 풀 : 웃음의 체험」, 김용직·박용철 편, 『한국현대시 작품론』, 문장, 1981.
김경숙, 「실존적 이성의 한계 인식 혹은 극복 의지」, 『1960년대 문학연구』, 깊은샘, 1998.
김규동, 「모더니즘의 역사적 의의」, 『월간문학』, 1975. 2.
______, 「인환의 화려한 자질과 수영의 소외의식」, 『현대시학』, 1978. 11.
김기중, 「윤리적 삶의 밀도와 시의 밀도」, 『세계의문학』, 1992년 겨울호.
김동환, 「김수영의 시적 주체」, 『선청어문』 13, 서울사대, 1982.
김명수, 「김수영과 나」, 『세계의문학』, 1982년. 겨울호.
김명인, 「그토록 무모한 고독, 혹은 투명한 비애」, 『실천문학』, 1998년 봄호.
______, 「급진적 자유주의의 산문적 실천」, 『작가연구』, 1998. 5.
김병걸, 「김수영의 시와 문학 정신」, 『세계의문학』, 1981년 가을호.
김병익, 「시인의 현실과 자유」, 『현대문학』, 1978. 7.
김상익, 「이달의 문제작—김수영의 '현대식교량'」, 『주간한국』, 1965. 7. 4.
김상환, 「스으라의 점묘화 : 김수영 시에서 데카르트의 백색 존재론」, 『철학연구』, 1992년 봄호.
______, 「김수영과 책의 죽음 : 모더니즘의 책과 저자 1」, 『세계의문학』, 1993년 가을호.
______, 「김수영과 책의 죽음 : 모더니즘의 책과 저자 2」, 『세계의문학』, 1993년 겨울호.
______, 「모더니즘 또는 사유의 금욕주의 : 김수영의 시와 속도」, 『현대시

학』, 1993년 9, 11월호. 1994년 1, 3월호.
______, 「전용 · 혼용 · 변용—아름다운 우리말을 위한 김수영론」, 『세계의 문학』, 1994년 가을호.
______, 「우리 시와 모더니즘의 변용 : 김수영의 경우」, 『현대시사상』, 1995년 여름호.
______, 「김수영의 역사 존재론 : 교량술로서의 작시에 대하여」, 『세계의 문학』, 1998년 여름호.
______, 「김수영과 한국 시의 미래—풍자와 해탈 사이에서」, 『현대비평과 이론』, 1998년 가을 · 겨울호.
______, 「詩와 時」, 『포에지』, 2000년 가을호.
김승희, 「김수영의 시와 탈식민주의적 반언술」, 김승희 편, 『김수영 다시 읽기』, 프레스21, 2000.
______, 「젠더 시스템 속의 자유인의 한계」, 『포에지』, 2001. 8.
김시태, 「50년대의 시와 60년대의 시」, 『시문학』, 1975. 1.
김영무, 「시에 있어서 두 겹의 시각」, 『세계의문학』, 1982년 봄호.
______, 「김수영의 영향」, 『세계의문학』, 1982년 겨울호.
김용성, 「한국문학사 탐방—김수영 편」, 『한국현대문학사탐방』, 국민서관, 1973.
김우창, 「예술가의 양심과 자유」, 『궁핍한 시대의 시인』, 민음사, 1978.
김욱동, 『모더니즘과 포스트모더니즘』, 현암사, 1992.
김유중, 「김수영 시의 모더니티」, 『국어국문학』 119, 1997.
김윤식, 「시에 대한 질문 방식의 발견」, 『시인』, 1970. 8.
______, 「모더니티의 파탄과 초월」, 『한국 근대작가론고』, 일지사, 1974.
______, 「김수영의 변증법의 표정」, 『세계의문학』, 1982년 겨울호.
______, 「김수영 문학이 이른 곳」, 『황홀경의 사상』, 홍성사, 1984.
김윤태, 「4 · 19 혁명과 민족현실의 발견」, 『민족문학사강좌(하)』, 창작과

비평사, 1995.
김인환, 「시인의식의 성숙 과정 : 김수영의 경우」, 『월간문학』, 1972. 5.
______, 「한 정직한 인간의 성숙 과정」, 『신동아』, 1981. 11.
김재용, 「김수영 문학과 분단 극복의 한계성」, 『역사비평』, 1997년 가을호.
김정환, 「벽의 변증법」, 김승희 편, 『김수영 다시읽기』, 프레스21, 2000.
김정훈, 「김수영 시 연구 : 주제의식을 중심으로」, 『국제어문』 8호, 1987. 5.
김종문, 「김수영의 회상」, 『풀과 별』, 1972. 8.
김종윤, 「태도의 시학—김수영의 시론을 중심으론」, 『현대문학의 연구』 1, 바른글방, 1989.
김종철, 「시적 진리와 시적 성취」, 『문학사상』, 1973.
______, 「첨단의 노래와 정지의 미—김수영의 '폭포'」, 『문학사상』, 1976. 9.
김주연, 「교양주의의 붕괴와 언어의 범속화」, 『정경문화』, 1982. 5.
______, 「한국현대시의 상황」, 『창작과비평』, 1967년 가을호.
김준오, 「승화에서 탈승화로」, 『현대시』, 1993. 9.
김지하, 「풍자냐 자살이냐」, 『시인』, 1970. 8.
김춘식, 「김수영의 초기시 : 설움의 자의식과 자유의 동경」, 『작가연구』, 1998. 5.
김치수, 「"풀"의 구조와 분석」, 『한국대표시평설』, 문학세계사, 1983.
김태진, 「김수영 초기시의 비유기체성과 바로보기」, 『작가연구』 5, 1998.
김현승, 「김수영의 시사적 위치와 업적」, 『창작과비평』, 1968년 가을호.
______, 「김수영의 시적 위치」, 『현대문학』, 1967. 8.
김현자, 「자유를 향한 낙하—김수영론 시고」, 『내륙문화』 12집, 1978. 10.
김혜순, 「문학적 『장자』와 김수영 시의 담론 비교 연구」, 김승희 편, 『김수영 다시읽기』, 프레스21, 2000.
______, 「김수영의 시가 김수영의 언어를 말하다」, 『포에지』, 2001. 8.
김화영, 「미지의 모험 · 기타「퓨리턴의 초상」 서평」, 『신동아』, 1976. 11.
김흥규, 「김수영론을 위한 메모」, 『심상』, 1978. 1.
노 철, 「김수영 시에 나타난 정신과 육체의 갈등 양상 연구」, 안암어문학회, 『어문논집』 36호, 1997.
노대규, 「시의 언어학적 분석 : 김수영의 '눈'을 중심으로」, 『매지논총』 3, 연세매지학술연구소, 1987.
노향림, 「거대한 뿌리」, 『여성중앙』, 1978.
동시영, 「신귀거래 3 · '등나무' 분석」, 『한양어문』, 한양대, 1997.
모윤숙, 「중환자들」, 『현대문학』, 1968. 8.
문혜원, 「아내와 가족, 내 안의 적과의 싸움」, 『작가연구』, 1998. 5.
박남철, 「김수영론」, 『현대시학』, 1998. 11~1999. 3.
박수연, 「문학의 양 날—현실의 안과 밖」, 『포에지』, 2001. 8.
박윤우, 「전후 현대시의 상황과 김수영 문학의 논리」, 『문학의논리』 3호, 태학사, 1993.
박지영, 「김수영의 초기 시에 끼친 영미 시론의 영향」, 『반교어문연구』 14집, 반교어문학회, 2002. 8.
박철석, 「김수영론」, 『현대시학』, 1981. 3.
박훈산, 「그날 고 김수영시인을 생각하며」, 『신동아』, 1968. 8.
백낙청, 「김수영의 시세계」, 『현대문학』, 1968. 8.
______, 「역사적 인간과 시적 인간」, 『창작과비평』, 1977년 여름호.
______, 「살아 있는 김수영」, 『사랑의 변주곡(발문)』, 창작과비평사, 1988.
서우석, 「김수영 : 리듬과 희열」, 『문학과지성』, 1978년 봄호.
서준섭, 「1960년대 이후의 한국 모더니즘시의 전개」, 『현대시사상』, 1990

년 봄호.
성기조, 「김수영 시의 자유에 대한 절규」, 『한국어문교육』 2, 한국교원대, 1991.
성민엽, 「김수영의 「풀」과 『논어』」, 『현대문학』, 1999. 5.
송재영, 「시인의 시론」, 『문학과지성』, 1976년 봄호.
신 진, 「김수영 시의 놀이정신」, 『구연식화갑기념논총』, 1985.
신동엽, 「지맥 속의 분수」, 『한국일보』, 1968. 6. 20.
안수길, 「양극의 조화」, 『현대문학』, 1968. 8.
안한상, 「김수영 시 논고」, 『국어교육』, 1995. 6.
염무웅, 「김수영론」, 『창작과비평』, 1976년 가을호.
오규원, 「한 시인과의 만남」, 『현실과 극기』, 문학과지성사, 1978.
오문석, 「김수영 시의 시간의식 연구」, 『한국시학연구』 5, 2001.
오세영, 「모더니즘 그 발상과 영향」, 『월간문학』, 1975. 2.
오정환, 「김수영 시의 죽음과 변용」, 『구연식화갑기념논총』, 1985.
오태수, 「김수영 시에 나타난 자유의 이미지 고찰」, 『인천어문학』, 1985. 2.
오형엽, 「시적 실험과 시적 초월의 성과 및 한계」, 『문학사상』, 1996. 6.
______, 「김수영 시의 미적 근대성 연구」, 『국어국문학』 125, 1999.
오효진, 「시인 김수영의 "거대한 뿌리"」, 『정경문화』, 1984. 2.
유성호, 「타자 긍정을 통해 '사랑'에 이르는 '도정'」, 『작가연구』, 1998. 5.
유재천, 「김수영론—시와 혁명」, 『배달말』 21, 배달학회, 1996. 12.
______, 「김수영의 "공자의 생활난"」, 『연세어문학』, 1984. 12.
유종호, 「현실참여의 시, 수영·봉건·동문의 시」, 『세대』, 1963. 1·2.
______, 「시의 자유와 관습의 굴레」, 『세계의문학』, 1982년 봄호.
유중하, 「달나라에 내리는 눈」, 『실천문학』, 1998년 여름호.
윤여탁, 「1950년대 한국 시단의 형성과 참여시의 잉태」, 『문학과논리』 3

호, 1993.
이 탄, 「김수영의 이상주의」, 『한국현대시사연구』, 일지사, 1983.
이건제, 「김수영 시에 나타나는 '죽음' 의식」, 『작가연구』, 1998. 5.
이경수, 「시에 있어서 정보의 효용과 한계」, 『세계의문학』, 1977년 봄호.
이경희, 「김수영 시의 언어학적 구조와 의미」, 『이화어문논집』 8, 1986.
이기성, 「1960년대 시와 근대적 주체의 두 양상」, 『1960년대 문학연구』, 깊은샘, 1998.
_____, 「고독과 비상의 시학」, 『작가연구』 5, 1998.
이남호, 「현실과 문학과 모더니즘」, 『세계의문학』, 1988년 가을호.
이부영, 「시와 무의식의 창조성—김수영의 시 서론」, 『현대시사상』, 1989년 겨울호.
이상옥, 「자유를 위한 영원한 여정」, 『세계의문학』, 1982년 겨울호.
이성복, 「진실에 대한 열정」, 『세계의문학』, 1982년 겨울호.
이숭원, 「김수영론」, 『시문학』, 1983. 3.
_____, 「김수영 시정신의 지향점」, 『20세기 한국 시인론』, 국학자료원, 1997.
이승훈, 「김수영의 시론」, 『심상』, 1983. 3.
_____, 「역사성과 서정성이 만나는 양식」, 『문학사상』, 1985. 4.
_____, 「우리 시에 나타난 전위성」, 『현대시』, 1993. 9.
이어령, 「서랍 속에 든 〈불온시〉를 분석한다」, 『사상계』, 1968. 3.
이영섭, 「김수영의 '신귀거래' 연구」, 『연세어문학』 18, 연세대, 1985. 12.
이유경, 「김수영의 시」, 『현대문학』, 1973. 6.
이은정, 「김수영 시의 수용양상 연구 : 상반된 수용의 문제」, 『이대대학원 연구논문집』 48호, 1990. 8.
_____, 「동일한 시적 인식의 두 가지 표출방식」, 『이화어문논집』 12, 이화여대, 1992.

이종대, 「김수영 시읽기의 폐쇄와 개방」, 『동국대국어국문학논문』, 1993. 12.
이철범, 「영토를 쌓는 30대의 시인—김춘수, 기무영, 전봉건의 시집에 대하여」, 『세계일보』, 1960. 1. 15~6.
이태희, 「김수영 시 '풀' 연구」, 『인천어문학』 7, 인천대, 1991.
______, 「김수영 후기시의 화자 연구」, 『인천어문학』 8, 인천대, 1992.
이혜원, 「시적 해탈의 도정」, 송하춘·이남호 편, 『1950년대 시인들』, 나남, 1994.
이홍자, 「김수영의 시세계」, 『국어교육』 49, 50호, 1984. 12.
이희중, 「김수영의 텍스트에서 〈온몸〉의 의미」, 『예술문화』 2, 전주대, 1997.
임종성, 「현대시의 서술화 경향」, 『국어국문학』 15, 동아대, 1996.
장경렬, 「삶의 시적 형상화의 문제—김수영의 4~50년대 시를 중심으로」, 『인화 19집」, 1983. 12.
장석주, 「현실과 꿈—김수영론」, 『언어의 마을을 찾아서』, 조형, 1979.
전봉건, 「사기론」, 『세대』, 1965. 2.
정과리, 「현실과 전망의 긴장이 끝간 데」, 『김수영』(해설), 지식산업사, 1981.
______, 「현상학 회귀의 의미론」, 『문학과사회』, 1996년 겨울호.
정남영, 「김수영의 시와 시론 : 난해성, 민중성, 현실주의」, 『창작과비평』, 1993년 가을호.
______, 「바꾸는 일, 바뀌는 일 그리고 김수영의 시」, 『실천문학』, 1998년 겨울호.
정대구, 「김수영 시론 소고」, 『국어국문학』 77, 1978.
정재찬, 「김수영론—허무주의와 그 극복」, 『1960년대 문학연구』, 예하, 1993.

정한모, 「한국전후시의 양상」, 『한국현대시의 정수』, 서울대출판부, 1980.
정현기, 「김수영론 : 죄의식과 저항, 시적 진실과 죽음」, 『문학사상』, 1989. 9.
정현종, 「시와 행동」, 『월간조선』, 1982. 1.
정효구, 「김수영 시에 나타난 사랑」, 『20세기 한국시와 비평정신』, 새미, 1997.
조기현, 「혁명과 시, 그리고 아나키즘」, 『시와반시』, 1993년 가을호.
조남현, 「우상의 그늘」, 『심상』, 1978. 10.
조명제, 「김수영 시 "풀"의 구조와 논리」, 『중앙대어문논집』, 1995. 8.
조병춘, 「김수영과 신동엽의 참여시 연구」, 『세명논총』, 1996. 6.
조병화, 「허전한 옆자리—수영을 먼저 보내며」, 『국제신문』, 1968. 6. 18.
조영복, 「1950년대 모더니즘 문학 논의를 위한 비판적 검토」, 『창작과비평』, 1993년 겨울호.
______, 「김수영 시의 난해성과 구조」, 『한국 현대시와 언어의 풍경』, 태학사, 1999.
______, 「김수영 시의 죽음 의식과 현대성」, 『한국 현대시와 언어의 풍경』, 태학사, 1999.
조창환, 「60년대 시의 비평적 성찰—현실의 시적 수용 문제」, 『현대시』, 1985. 6.
조현일, 「김수영의 모더니티관에 관한 연구 : 트릴링과의 영향관계를 중심으로」, 『작가연구』 5, 1998.
최동호, 「1950년대 시적 흐름과 정신사적 의의」, 『현대문학사』, 현대문학사, 1989.
______, 「분단기의 현대시」, 『현대시의 정신사』, 열음사, 1995.
______, 「김수영의 문학사적 위치」, 『작가연구』 5, 1998.
______, 「김수영의 시적 변증법과 전통의 뿌리」, 『문학과의식』, 1998년 여

름호.
______, 「동양의 시학과 현대시—유가철학과 김수영의 「풀」」, 『현대시』, 1999. 9.
______, 「김수영의 「풀」과 서러움의 변증법」, 『디지털 문화와 생태시학』, 문학동네, 2000.
최두석, 「현대성론과 참여시론」, 『한국현대시론사연구』, 문학과지성사, 1998.
______, 「김수영의 시세계」, 김승희 편, 『김수영 다시읽기』, 프레스21, 2000.
최미숙, 「전체성의 실현을 통한 시 해석 연구」, 『선청어문』 21, 서울사대, 1993.
______, 「모더니즘 문학 읽기의 한 방식」, 『독서연구』 2, 1997.
최유찬, 「시와 자유와 '죽음'」, 『연세어문학』 18, 1985. 12.
최정희, 「거목 같은 사나이」, 『현대문학』, 1968. 6.
최하림, 「두 시인의 초상」, 『오늘의책』, 1984. 7.
______, 『김수영 평전 : 자유인의 초상』, 문학세계사, 1981.
______, 「60년대의 시인 의식」, 『현대문학』, 1974. 10.
최현식, 「'곧은 소리'의 요구와 탐색」, 『작가연구』 5, 1998.
______, 「꽃의 의미—김수영의 시에서의 미와 진리」, 『포에지』, 2001. 8.
하정일, 「김수영, 근대성 그리고 민족문학」, 『실천문학』, 1998년 봄호.
한계전, 「전후시의 모더니즘적 특성과 그 가능성」, 『시와시학』, 1991. 봄—여름.
한명희, 「김수영시에서의 고백시의 영향」, 『전농어문연구』 9, 서울시립대, 1997. 2.
______, 「김수영 시의 기법」, 『전농어문연구』 10, 1998.
______, 「김수영 시에 나타나는 여성에 대하여」, 『전농어문연구』 11, 서울

시립대, 1999.
한수영, 「'일상성'을 중심으로 본 김수영 시의 사유와 방법」, 『작가연구』 5, 1998.
한영옥, 「김수영 시 연구 : 참여시의 진정성 규명을 중심으로」, 『성신여대 인문과학연구』, 1993. 2.
홍기삼, 「자유와 갈증」, 『한국문학전집, 평론선집』, 어문각, 1978.
황동규, 「절망 후의 소리—김수영의 "꽃잎"」, 『심상』, 1974. 9.
______, 「시의 소리」, 『사랑의 뿌리』, 문학과지성사, 1976.
______, 「정직의 공간」, 김수영 시선집 『달의 행로를 밟을 지라도』 해설, 민음사, 1976.
______, 「감상의 제어와 방임」, 『창작과비평』, 1977. 9.
황정산, 「김수영 시론의 두 지향」, 『작가연구』 5, 1998.
황헌식, 「저항과 좌절-그 운명적 갈등」, 『시문학』, 1973. 6.
황현산, 「난해성의 시와 정치」, 『포에지』, 2001년 가을호.

2. 학위논문

1) 석사학위논문

강덕화, 「김수영 시 연구 : 새로움의 시학을 중심으로」, 동국대석사논문, 1997.
강현국, 「김수영 시에 나타난 현실참여의 특성 연구」, 경북대석사논문, 1979.
고창환, 「김수영 시 연구—소시민적 일상에 대한 인식과 자기 성찰을 중심으로」, 인하대석사논문, 2000.

구용모, 「김수영의 시론 연구— '반시론' 과 '시여, 침을 뱉어라' 를 중심으로」, 한양대석사논문, 1996.
권영하, 「김수영 시 연구 : '바로보기' 를 통한 시적 변용을 중심으로」, 성균관대석사논문, 1994.
김명인, 「김수영의 〈현대성〉 인식에 관한 연구」, 인하대석사논문, 1994.
김삼숙, 「김수영 문학의 전위적 성격 연구」, 서울여대석사논문, 1999.
김수이, 「김춘수와 김수영의 비교 연구 : 주제와 기법의 대응관계를 중심으로」, 경희대석사논문, 1992.
김오영, 「김수영론」, 연세대교육석사논문, 1992.
김은숙, 「김수영 시 연구 : 시의식의 변모과정을 중심으로」, 인하대교육석사논문, 1994. 2.
김창섭, 「김수영 시 연구 : 시의식의 변천을 중심으로」, 고려대교육석사논문. 1987.
김태진, 「김수영 시의 환유구조 연구」, 부산대교육대학원석사논문, 1996.
김혜순, 「김춘수와 김수영 시에 나타난 시간 의식의 대비적 고찰」, 건국대석사논문, 1982.
김효곤, 「김수영 시의 타자 현상 연구」, 부산대석사논문, 1998.
문정이, 「김수영 시정신 연구—모더니즘적 측면에서」, 경성대석사논문, 1999.
박남철, 「김수영 시문학의 제2시대 연구 : 전통지향성과 현대지향성을 중심하여」, 경희대석사논문, 1983.
성지연, 「김수영 시 연구 : 의식의 변모 양상을 중심으로」, 연세대석사논문, 1996.
신주철, 「김수영 시의 시적 장치 연구」, 한국외국어대석사논문, 1996.
심은희, 「김수영 시 연구」, 경희대석사논문, 1999.
안수진, 「모더니즘 시의 부정성 형성 연구 : 박인환과 김수영을 중심으로」, 서울대석사논문, 1997.
안홍림, 「김수영 시의 자아의식 연구」, 단국대석사논문, 2000.
여태천, 「김수영 시 연구 : 〈실천적 글쓰기〉를 중심으로」, 고려대석사논문, 2001.
연용순, 「김수영 시 연구—주체, 언어, 수사학적 기교를 중심으로」, 중앙대교육석사논문, 1985.
이건제, 「김수영 시의 변모양상 연구 : 자아와 세계의 관계를 중심으로」, 고려대석사논문, 1990.
이영섭, 「김수영의 시 연구」, 연세대석사논문, 1977.
이정미, 「현실지향시의 시적 특질과 전통연구—사설시조와 김수영의 시를 중심으로」, 한국교원대석사논문, 1999.
이지연, 「김수영의 '온몸' 시학과 반시 연구」, 부산대석사논문, 1993.
이홍자, 「김수영 시 연구 : 시의 화자와 시인의 의식을 중심으로」, 서울대교육석사논문, 1989.
이혜승, 「김수영 시 연구—텍스트의 생성과 의미를 중심으로」, 서강대석사논문, 2000.
임한호, 「김수영 시의 모더니즘 연구」, 한양대교육석사논문, 1999.
정현선, 「모더니즘시의 문화교육적 연구—이상과 김수영을 중심으로」, 서울대교육석사논문, 1995.
정호갑, 「김수영 시의 기법에 대하여」, 경상대석사논문, 1988.
조강석, 「김수영 시에 나타난 시간의식 연구」, 연세대석사논문, 2001.
조은수, 「김수영 시에 나타난 낭만성에 대한 연구」, 연세대석사논문, 1990.
하인철, 「김수영 시 연구 : 김수영 시의 전개 양상을 중심으로」, 서강대석사논문, 1996.
한정희, 「김수영 전기시 연구 : 이미지의 변환 과정을 중심으로」, 고려대석사논문, 1993.
홍기돈, 「김수영 시연구—의식의 변모 양상을 중심으로」, 중앙대석사논문, 1996.

2) 박사학위논문

강연호, 「김수영 시 연구」, 고려대박사논문, 1996.
강웅식, 「김수영의 시의식 연구 : '긴장'의 시론과 '힘'의 시학을 중심으로」, 고려대박사논문, 1997.
권혁웅, 「한국 현대시의 시작방법 연구 : 김춘수·김수영·신동엽을 중심으로」, 고려대박사논문, 2000.
김종윤, 「김수영 시 연구」, 연세대박사논문, 1986.
김혜순, 「김수영 시 연구 : 담론의 특성 연구」, 건국대박사논문, 1993.
남진우, 「미적 근대성과 순간의 시학 연구 : 김수영·김종삼 시의 시간 의식」, 중앙대박사논문, 2000.
노 철, 「김수영과 김춘수의 시작방법 연구」, 고려대박사논문, 1998.
박수연, 「김수영 시 연구」, 충남대박사논문, 1999.
유재천, 「김수영 시 연구」, 연세대박사논문, 1986.
윤정룡, 「1950년대 한국 모더니즘 시 연구」, 서울대박사논문, 1991.
이 중, 「김수영 시 연구」, 경원대박사논문, 1995.
이경희, 「시적 언술에 나타난 한국 현대시의 병렬법 연구」, 이화여대박사논문, 1988.
이광수, 「1950년대 모더니즘 시 연구」, 고려대박사논문, 1995.
이은정, 「김춘수와 김수영 시학의 대비적 연구」, 이화여대박사논문, 1993.
이종대, 「김수영 시의 모더니즘 연구」, 동국대박사논문, 1993.
조명제, 「김수영 시 연구」, 전주우석대박사논문, 1994.

진순애, 「한국 현대시의 모더니티 연구」, 성균관대박사논문, 1996.
최미숙, 「한국 모더니즘시의 글쓰기 방식에 관한 연구 : 이상·김수영을 중심으로」, 서울대교육박사논문, 1997.
황혜경, 「김수영 시의 아이러니 연구」, 이화여대박사논문, 1997.

3. 저서

강웅식, 『시, 위대한 거절』, 청동거울, 1998.
김종윤, 『김수영 문학 연구』, 한샘출판사, 1994.
김상환, 『풍자와 해탈 혹은 사랑과 죽음—김수영론』, 민음사, 2000.
김승희 편, 『김수영 다시읽기』, 프레스21, 2000.
김혜순, 『김수영 : 세계의 개진과 자유의 이행』, 건국대출판부, 1995.
문광훈, 『시의 희생자 김수영 : 시를 통한 문학예술론 그리고 비평론』, 생각의나무, 2002.
최하림 편, 『김수영』, 문학세계사, 1993.
황동규 편, 『김수영의 문학』, 민음사, 1983.
황정산 편, 『김수영』, 새미, 2003.

김수영 번역 작품 및 번역 평론 서지

칼 샤피로, 「'파우스트'의 진보」, 『전망』, 1955. 11.
만코빗츠, 「성상화」, 『문학예술』, 1955. 11.
R. W. 에머슨, 『문화, 정치, 예술』, 중앙문화사, 1956.
M. I. 하우스피안, 「토요일날 밤」, 『문학예술』, 1956. 5.
A. 막레이쉬, 「시의 효용」, 『시와비평』, 1956. 8.
토마스 만, 「'지이드'의 조화를 위한 무한한 탐구」, 『문학예술』, 1957. 6.
W. V. T. 크라트, 「바람과 겨울눈」, 『문학예술』, 1957. 7.
죠지 바커, 「청년과 성인의 비유」, 『문학예술』, 1957. 10.
제레미 인겔스, 「高麗一頭高, 眼麗」, 『자유문학』, 1957. 11.
괴테, 『젊은 베르테르의 슬픔』, 신양사, 1958.
월후 만코위츠, 「'챠아' 아주머니가 매장된 날」, 『자유문학』, 1958. 5.
리오넬 아벨, 「아마추어 시인의 거점」, 『현대문학』, 1958. 9.
비제, 「반항과 찬양 : 불란서 현대시의 전망」, 『사조』, 1958. 9.
가이 듀물, 「불란서 문단외교사」, 『현대문학』, 1958. 12.
『아리온테의 사랑』, 중앙문화사, 1958.
이브 보네호이, 「불, 영 비평의 차이」, 『현대문학』, 1959. 1.
루이스 캐롤 외, 『세계일기전집』, 코리아사, 1959. 5.
리챠드 P. 부락머, 「제스츄어로서의 언어」, 『현대문학』, 1959. 5~6.
A. 막레이쉬, 「시인과 신문」, 『현대문학』, 1959. 11~12.
프란시스 브라운, 『20세기 문학평론』, 중앙문화사, 1961.
알렌 테이트, 『현대문학의 영역』, 중앙문화사, 1962.
데니스 도노그, 「에이쓰시에 보이는 인간영상」, 『현대문학』, 1962. 8.

수잔느 라방, 『황하는 흐른다 : 홍콩 피난민의 비극』, 중앙문화사, 1963.
죠지 쉬타이너, 「맑스주의와 문학비평」, 『현대문학』, 1963. 3~4.
A. 베크하아드, 「우주의 등대수 : 아인쉬타인」, 『세계의 인간상』, 신구문화사, 1963.
앨프리드 카잰, 「정신분석과 현대문학」, 『현대문학』, 1964. 6.
리차드 스턴, 「이」, 『문학춘추』, 1964. 7.
E. 헤밍웨이, 「싸우는 사람들」, 『노벨문학상전집 6』, 신구문화사, 1964.
B. L. 파스테르나크, 「공로」, 『노벨문학상전집 6』, 신구문화사, 1964.
____________, 「후방」, 『노벨문학상전집 6』, 신구문화사, 1964.
____________, 「코카서스」, 『노벨문학상전집 6』, 신구문화사, 1964.
____________, 「세익스피어 번역 소감」, 『노벨문학상전집 6』, 신구문화사, 1964.
W. B. 예이츠, 「데어드로」, 『노벨문학상전집 3』, 신구문화사, 1964.
________, 「沙羅樹 정원 옆에서」, 『노벨문학상전집 3』, 신구문화사, 1964.
________, 「임금님의 지혜」, 『노벨문학상전집 3』, 신구문화사, 1964.
G. B. 쇼오, 「운명의 사람」, 『노벨문학상전집 3』, 신구문화사, 1964.
Richard Poirier, 「로버트 프로스트와의 대담」, 『문학춘추』, 1964. 12.
죤 웨인, 「세익스피어의 이해」, 『문학춘추』, 1965. 3.
리오넬 트릴링, 「쾌락의 운명」, 『현대문학』, 1960. 10~11.
죠셉 프랑크, 「도스또예프스끼와 사회주의자들」, 『현대문학』, 1966. 12.
아브람 테르츠, 「고드름」, 『현대문학』, 1967. 4.
버나드 말라머드, 「정물화」, 『현대문학』, 1967. 5.
나다니엘 호돈, 『주홍글씨』, 신구문화사, 1968.
『또 하나의 나라, 대보를 올려라』, 신구문화사, 1968.